科學史上最有梗的20堂物理課

上

40部LIS影片 讓你秒懂物理

胡妙芬 ———————————— 文
陳彥伶 ———————————— 圖
LIS情境科學教材 ——————— 總監修
郭青鵬 ———————————— 審訂

幫助孩子培養長久受用的科學探究能力

　　LIS的宗旨是「Learning In Science」；「讓每一個孩子，擁有實踐夢想的勇氣和能力！」則是我們對教育的願景。我們希望可以透過教材為孩子開啟新的視角，發現科學不僅是一門從生活出發的學科，也是一套理解世界的方式。

　　我們相信學習本質其實是STEAM或是PISA在談的「解決問題能力」、「批判性思考」和「好奇心」，這才是每一個人一輩子都用得到的能力。因此，我們從科學開始，爬梳科學史的脈絡，將科學家解決問題的思維、方法等過程，開發成獨一無二的創新教材。

　　我們設計的教材包含影片製作與教案開發。在影片特色方面，會以動畫和戲劇的方式，把科學變得更圖像化且富故事性，所以大家在觀看時可以很容易就進入我們設定的情境，進而引起學習動機。而我們設計的教案，則將影片中科學家發現及產出知識的情境還原給孩子，希望能讓他們在科學史中探究、冒險，最後培養出科學能力。

同理孩子的學習處境，將科學思考歷程具象化

　　走進科學史的世界裡，會發現課本中的概念與公式，事實上並非為考試存在，而是一套科學家們看待與理解這個世界的思維。其實在開發物理系列教材時，我們也遇到不少瓶頸──這是一門起源於「哲學」的學科，即便有大量的實驗驗證，更多是「腦中」的思想實驗；想的雖然都是力、光、熱等生活可觸及的現象，但理解起來可說是非常抽象！每每「剖」開科學家的腦，細細研讀一番後，會發現自己以前的理解原來還不夠完整，常有不斷被更新的感覺。每部影片都是夥伴們花很長的時間撰寫文本、

進行教學，再讓非理工背景的編劇與動畫師充分理解科學概念後，才能完成的。

　　然而這整個過程中，最難的不是梳理理論演進。如何避免在傳遞知識時，把自己熟知的資訊想得太理所當然而沒有表達出來，才是最大的挑戰。這對沒學過相關概念的觀眾而言，就會對資訊感到疏離、斷裂，而無法連貫吸收。因此我們在製作教材時，必須不斷回到「不懂的狀態」，重新看待這些要給學生看的內容，抽絲剝繭找出哪裡會造成孩子理解困難，小心翼翼運用劇情與動畫來轉化。而這套與親子天下合作的物理系列，也是以這樣的心情誕生的。

書是影片的延伸

　　再次感謝胡妙芬老師，這次也依然用生動的文字，讓孩子有機會一窺影片中物理學家們精彩故事的全貌；謝謝插畫家彥伶在圖像與版面的用心，讓知識易讀又有趣；還要感謝親子天下的編輯們：欣靜、淳雅，為這本書花了許多的心思，讓愛看故事的孩子，進入科學家充滿好奇心的世界，也讓愛科學的孩子們，透過文圖交織的這扇窗欣賞科學。

　　最後我們想跟大家說，這套書是一套完全不同於坊間科普童書的作品，結合科學史、科學家人物傳記、科學理論演進歷程等多元面向，還特別設計了能讓大家天馬行空發問的「快問快答」單元。在閱讀時，你可以把它拿來配合我們的影片當作補充資訊，也可以把它視為科普版的「科學通史」，甚至是單純把它當作有趣的科學故事書……這都沒有問題，因為我們相信這套書的內容結合了我們多年的知識結晶，一定能讓大家得到意想不到的收穫！

LIS情境科學教材

推薦序 1

從科學探究歷程，有溫度的學物理

你認識幾個物理學家？是不是覺得物理學家都聰明又厲害，彷彿那些困難的問題在他們手中一次就能解決？

從故事拉近你我與物理的距離

對喜歡物理的人而言，物理學家是崇拜的對象；但對討厭物理的人而言，物理學家可是憎恨的敵人：「要不是你們我就不用背這麼多奇奇怪怪的公式了！想到歐姆定律我就想翻臉……」不過當你知道歐姆曾經是個「魯蛇」，38歲無妻無子沒事業難溫飽，卻還要堅持做研究，是不是會有點同情他、覺得有錢可能會好一點？等等，那你認識卡文迪西嗎？人生勝利組、家裡有錢得不得了，他做出許多重要實驗，其中還比歐姆早46年發現歐姆定律——但這些定律卻都不是以他命名，到頭來竟然是個「被孤僻性格（或錢）耽誤的科學家」……

這些課本裡冷冰冰的人名，其實都有自己的性格，彼此間可能有著愛恨情仇、心機權謀。這些偉大的科學家說穿了，與你我相同。物理也是這樣的，看起來雖有距離，卻始終源於生活，那些研究與發現也會進一步影響我們的生活。沉浸在這些情節，同時又能跟著科學家的眼光觀察，並且由淺入深、漸進有條理的學習物理，就是《科學史上最有梗的20堂物理課》精彩之處。

從情境讓定理立體化而好消化

這套書呈現科學家的日常以及科學探究的歷程，每堂課都帶著你搭上時光機回溯不

同年代，近距離了解他們的思考方式。你會發現科學沒你以為的那麼嚴肅。

想像一下你突然降落在這個場景：某個無辜的小男孩被懸吊在空中，旁邊有助手操作著奇怪機器、還有看起來像是祭師的人拿玻璃棒碰觸男孩。接下來男孩身上開始黏上小紙屑，手指還能隔空讓書本翻頁！不，這不是邪教儀式，只是與靜電感應現象相關的一幕（本套書第11課）。我同意，科學實驗有時看起來真的有點像邪教活動，這其實是探索物理未知領域時有趣的一環。書中向讀者揭露許多科學研究的意外與樂趣，讓物理定理立體而好玩。

跟著理論的誕生歷程走一回，其實就能自然而然的記住核心物理概念。再舉個例子：假如你不幸掉進一間牢房，跟個奇怪的阿拉伯人關在一起，你看他面向外頭喃喃自語，便跟著他觀察光透過小縫照進牢房，藉由顛倒的影像發現針孔成像──一起領悟光的「射入說」比「外射說」更接近真實。這個人的十年牢獄成就厚達七卷的光學書，為科學發展奠基。他的全名長到你記不住，好險可以簡稱「海什木」。試想，這段經驗是不是比你死記「上下顛倒、左右相反」的針孔成像口訣來得生動？（本套書第3課）透過這套書以及LIS團隊精心拍攝的影片來學習，你不用真的進牢房，也不用困在任何偉大科學家遭遇的難關，就可以一步一步領略物理的天堂。

這些令人讚嘆的物理定律，都是貨真價實的「人」發現的，了解科學家們探索科學的歷程，定理公式便有了溫度。在時光機還沒有發明之前，不妨藉由這套書帶領你進行一趟時光之旅，體驗學習科學的樂趣！

朱慶琪
中央大學物理系副教授兼科學教育中心主任

推薦序2

在科學中時常抱持懷疑精神

　　古希臘哲學家亞里斯多德寫出世界上第一本《物理學》，雖然為探索物理現象起了個頭，但他的某些觀念卻成為科學發展的巨大阻礙。牛頓脾氣有點古怪，直到受好人緣的好友哈雷鼓勵與贊助，才將「牛頓三大運動定律」、「萬有引力」等重要內容，寫成曠世巨作《自然哲學的數學原理》。不管是前者或後者，他們的物理學著作不僅深深影響日後科學研究，甚至也改變了人們的生活。

　　如今在二十一世紀的臺灣，這套《科學史上最有梗的20堂物理課》梳理了過往物理發展，承接過去的重要觀點，也將會深刻影響這塊土地上的物理教育。這套書分上、下兩冊，每冊共10課，從西元前四世紀的亞里斯多德揭開序幕，一直講述至近代二十世紀愛因斯坦、德布羅意，是部時空橫跨超過2400年的物理發展史。

從科學家的辯證釐清物理概念

　　書中著重科學歷史脈絡的論述方式，讓我眼睛為之一亮。每個章節中都針對不同的物理觀念說明發展經過，其中若遇到物理大師們想法、派別相異的段落，書中呈現出分庭抗禮的論辯過程更是精彩，例如：熱質說VS熱動說、難解的電磁曖昧關係，以及光到底是粒子還是波動的糾結故事。書中不會先講結論，而是將歷史上科學家們各自的想法都說清楚，再一起探討實驗證據，看看誰對誰錯。這種做法很適合讀者融入情境思考，想想如果自己是當時的科學家會怎麼做，同時也能跟著書中人物來回修正假設，一同找到最佳的解答。

　　書中提到波動說和粒子說時，有一段是這樣寫的：「不知道你有沒有注意到？贊

成光是純粒子的一派，幾乎無法否定對方的實驗有錯；同樣的，贊成光是純波動的一派，也只能證明光有波動性質，無法挑出光是粒子的實驗有什麼大毛病……」後續便提到光其實具有「波粒二象性」的概念和相關研究。這種引導是很棒的訓練，能讓讀者在理解與探索科學時，保持懷疑與辯證的能力，除了吸收書中史實和科學知識外，這樣的思辨力也非常可貴。

　　這套書還有幾個值得一提的地方：帶有引導提問元素的「快問快答」單元；這些問答設計結合主文中的要點，協助讀者培養出整合、延伸內容等高層次的思考能力，進而達成探究學習。每章節還加入許多很有梗的插畫，最後更附上LIS影音頻道的連結，這些元素都能寓教於樂，提高讀者對物理好奇心及學習動機。

　　我從小就對物理抱持相當濃厚的興趣，之後不管求學或教學始終保持初衷、熱愛探究大自然界的各種現象——但這一套《科學史上最有梗的20堂物理課》卻能令我驚豔，提供我新角度深入探索物理發展的面貌，有機會更深切的理解這些大名鼎鼎的物理學家及他們研究的脈絡，受益可謂良多，是一部不可多得的科普書籍，特此推薦這套書給大家。

郭青鵬
臺北市立蘭雅國中數理資優班專任教師

距今
100萬到
40萬年前

400 BC

300 BC

200 BC

700

1000

1100

人類從觀察進步
到利用物理

羅馬打壓
希臘哲學

亞里
學說禎

亞里斯多德
384BC ～ 322BC
希臘哲學家、
世上第一本
《物理學》

阿基米德
288BC ～ 212BC
浮力定律、
槓桿原理

海什木
965 ～ 1040
證明射入說
現代光學之父

物理史
關鍵年表

（以理論發現順序排序）

格雷
1666 ～ 1736
電傳導、
靜電感應

布萊克
1728 ～ 1799
發現潛熱、
區分熱與溫度

倫福德伯爵
1753 ～ 1814
證明熱動說

1700

杜費
1698 ～ 1739
電分兩種且
異性相吸、
同性相斥

庫倫
1736 ～ 1806
靜電力方程式

1800

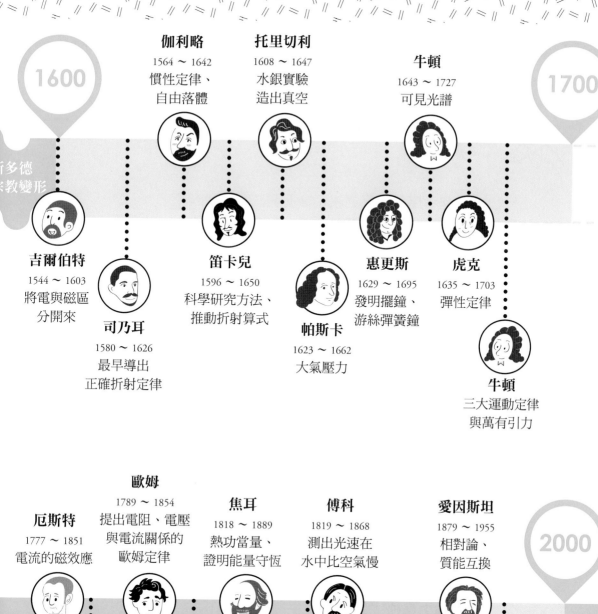

伽利略
1564 ~ 1642
慣性定律、
自由落體

托里切利
1608 ~ 1647
水銀實驗
造出真空

牛頓
1643 ~ 1727
可見光譜

1600

斤多德
宗教變形

吉爾伯特
1544 ~ 1603
將電與磁區
分開來

司乃耳
1580 ~ 1626
最早導出
正確折射定律

笛卡兒
1596 ~ 1650
科學研究方法、
推動折射算式

帕斯卡
1623 ~ 1662
大氣壓力

惠更斯
1629 ~ 1695
發明擺鐘、
游絲彈簧鐘

虎克
1635 ~ 1703
彈性定律

1700

牛頓
三大運動定律
與萬有引力

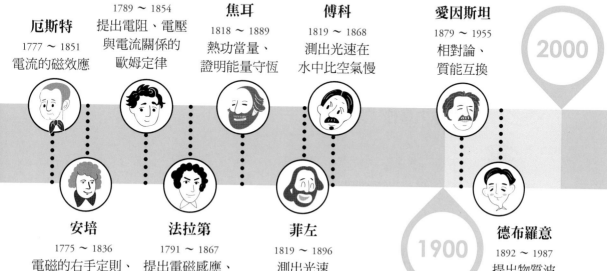

歐姆
1789 ~ 1854
提出電阻、電壓
與電流關係的
歐姆定律

焦耳
1818 ~ 1889
熱功當量、
證明能量守恆

傅科
1819 ~ 1868
測出光速在
水中比空氣慢

愛因斯坦
1879 ~ 1955
相對論、
質能互換

厄斯特
1777 ~ 1851
電流的磁效應

2000

安培
1775 ~ 1836
電磁的右手定則、
分子電流

法拉第
1791 ~ 1867
提出電磁感應、
發明電動機

菲左
1819 ~ 1896
測出光速

1900

德布羅意
1892 ~ 1987
提出物質波

目錄

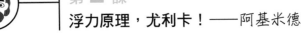
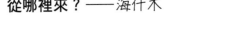

10

本書特色

這是一本結合科學史、科學理論解析，以及科學家人物故事的超有趣科普書。

1 故事主文會告訴你重要的物理理論是怎麼出現及演進歷程。

2 人物專欄要帶你認識眾多科學家不為人知的祕辛。

3 「快問快答」單元專門回答你對物理的疑難雜症。

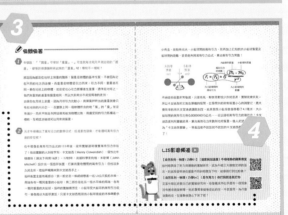

4 跟著「LIS影音頻道」掃描 QR Code，就能看到相關影片，學習更全面。

出場人物

魯芙
雙魚座
14 歲

凡事認真，愛笑又愛哭的中學女生。喜歡物理，但偶爾還是會被物理理論卡住。這學期終於等到科學史研究社的LIS老師開講物理，趕緊拉著好友嚴八一起參加，她等不及想知道物理學家的故事了。

LIS老師
天秤座
年齡不詳

科學史研究社的社團老師，喜歡自己的鬈髮，是個性浪漫的科青，也是文青。上回聊化學史大受好評，這學期打算繼續用說故事的方式讓學生愛上物理。

嚴八
射手座
14 歲

滿臉雀斑的大男孩，討厭考試與教科書。參加科學史研究社已經一個學期，開始相信「聽故事就能喜歡科學」，但老是跟著魯芙聽課，已經分不清自己究竟是喜歡科學還是喜歡魯芙。

噓！

你是新來的
社團同學吧？

L.I.S老師是要來講
有趣的物理歷史啦！

第 1 課

世界第一本《物理學》

亞里斯多德

物理，物理，一切事「物」的道「理」。可是為何課本上教的物理，又是抽象符號、又是數學公式，讀了令人頭昏眼花，考試教人頭皮發麻。如果能有一個時代，不用算物理、考物理，你會不會穿越過去，在沒有「物理」的粉紅泡泡裡轉圈、灑花，灑花、轉圈……

事實上，這樣的年代很長很長。物理學是世界上最古老的學問，但是早期的物理，混著化學、幾何、生物、天文……甚至數學和音樂，一起包含在「自然哲學」裡。

自然哲學，就是通曉一切事物道理的學問；直到十七至十九世紀，物理學才慢慢與其他學科分家，從自然哲學獨立出來。

物理從觀察起始

不過，儘管早期人類還沒有把物理當成一門學科；從地球上有人類開始，物理現象就一直與人同在，出現在人類日復一日的生活之中。當原始人拿著石頭拋向天際、用陽光晒暖身體、觀察夜晚星空、或是看著流水由高往低……這一切日常現象都是物理；當時的原始人類，光是仔細「觀察」，就算是在學習物理。

觀察就算學物理？
這我很會……

後來，隨著時間前進，人們從純粹的「觀察」進步到懂得「利用」物理改善生活。像是石器時代的人類，先用火把岩石烤熱後，潑上冷水，讓岩石快速的「熱脹冷縮」而碎裂，再拿碎裂的石塊來製造石器；到了青銅器時代，人們學會築起「斜面」，把搬不動的大石塊，慢慢拖上高處；而在鐵器時代，人們則發明了省力的滑輪、紡錘、飛鏢、秤等器具，用來節省勞力、改善生活，解決眼前面臨的生存問題。

雖然古埃及人還不明瞭簡單機械的物理原理，但他們在建造金字塔時就已經懂得運用「斜面」了。建造金字塔的石塊實在太重，無法直接搬到塔上，但透過搭建斜坡，在斜面上慢慢拉拖，就可以把石塊搬上高處。

世界第一本《物理學》

　　這些都是物理，但過往的人們只知道如何製造、如何使用；並沒有深入研究背後的原理，或建立教科書式的知識體系。在那些遙遠的時代裡學物理，只需要會「看」、會「用」，不用複雜的計算公式；如果遇到看不懂、想不通的地方，人類就認為那背後一定有個主宰一切的力量，或許是「妖怪」，或許是「鬼神」；人們最好不要觸怒祂們，否則妖怪或鬼神就會操控事物、降下災禍，處罰不聽話的人。

　　這樣的想法在世界各地發展出神靈信仰。風是由風神推動、雨是受雨神召喚，雷神可以電馳大地、海神可以興風作浪。而人只要乖乖聽話，就能消災解厄，安然的活在世上。

當大部分人只會盲目的相信鬼神、用神蹟解釋自然現象時，卻有少數一群人，能夠保持獨立思考，用理性、不迷信的態度探討世界的本質和萬物運作的原理——他們是遍布世界各地的「自然哲學家」；而古希臘的自然哲學家，更發展出一套理性的思維模式與研究方法，催生了現代科學，使古希臘成為現代科學的發源地。

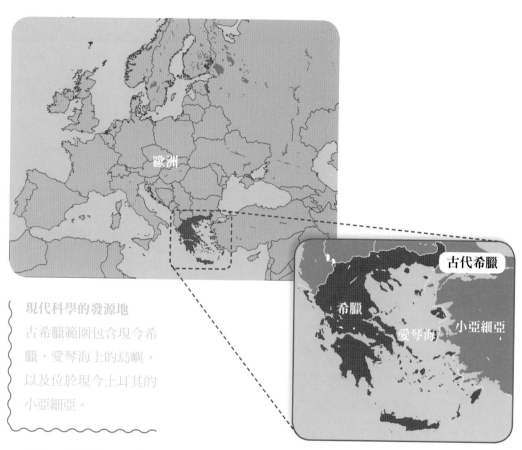

現代科學的發源地
古希臘範圍包含現今希臘、愛琴海上的島嶼，以及位於現今土耳其的小亞細亞。

　　其中，活躍於西元前四世紀的希臘哲學家亞里斯多德，正是寫出第一本《物理學》的人。聽到這裡，你會不會好奇心大爆發——在25個一百年前所寫下的《物理學》，跟我們現代所學的物理會有什麼巨大的差別？讓我們一起來看看，亞里斯多德與他的物理學吧。

吾愛吾師，吾更愛真理

亞里斯多德
384BC～322BC
古希臘自然哲學家

蘇格拉底、柏拉圖和亞里斯多德是古希臘哲學家的代表。他們三人之間具有師徒關係：柏拉圖是蘇格拉底的學生，而亞里斯多德又是柏拉圖的學生。

西元前384年，亞里斯多德出生在古希臘的斯塔基拉（Stagira）。他的父親是馬其頓王的御醫，但是在他很小的時候父母就陸續過世，由親戚撫養他長大；十七歲時，亞里斯多德就被送進雅典的「柏拉圖學園」學習，在那裡，他待了二十年，一心想學習研究哲學。

但是按規定，要進入哲學領域之前，亞里斯多德要先接受音樂、算數、天文學和幾何學的訓練。或許你會想，學習「數學」、「幾何」跟

柏拉圖

429BC～347BC

古希臘自然哲學家

哲學有什麼關係？為什麼學哲學前一定得先研究數學呢？

原因就在，數學是亞里斯多德的老師柏拉圖特別重視的科目。

柏拉圖認為，世界上最高貴、神聖的事情，就是追求精神上純粹的理想和理念。平常我們看到、摸到、感覺到的世界，只是瞬間即逝、不完美的常識，只有人們精神中的理想世界，才是完美、真實、並且值得研究的對象，而數學就是其中一種最完美的境界。

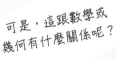

可是，這跟數學或幾何有什麼關係呢？

因為數學就是最純粹、最理想的存在啊！

比方說，人們在大自然裡見到的直線，不是「真正」的直線，因為真正的直線不該有寬度，也不能有彎曲；真正的直線根本不存在世界上，而只存在人們的精神世界裡，所以透過研究數學和幾何學的直線，人們容易進入理想、完美的境界，也比較能夠接近真理。

換句話說，柏拉圖重視理想、完美的精神世界，而輕視感覺平庸的現實世界。亞里斯多德非常尊敬老師，卻打從心裡不贊同老師的想法：

我認為事物的本質就在事物之中，不應該是在人們的想像裡。

 人們若想瞭解事物的本質，應該多多觀察事物本身，而不是從想像、或從理念中去追求。

 雖然我愛我的老師，但是……我更愛真理！沒錯！我要有信心，這種想法才最接近世界的真理！

亞里斯多德

所以在柏拉圖過世後，亞里斯多德離開了雅典。他受邀成為馬其頓王子的老師，教導當時十三歲的太子。往後，這位王子繼承馬其頓的王位，建立了橫跨歐、亞、非三洲的帝國——他就是歷史上著名的亞歷山大大帝。

亞里斯多德正在教導年輕的亞歷山大大帝。

不過，亞里斯多德並沒有一直留在國王身邊。西元前334年，他決定回到雅典，建立自己的學園「呂克昂（Lyceum）」，教授哲學。因為亞里斯多德不喜歡刻板的教學方式，經常帶著學生在學園的花園大道上一邊散步、一邊討論，所以後人幫亞里斯多德的學派取了個有趣的名字，叫做「逍遙學派」。逍遙學派重視觀察和經驗，跟重視數學和精神理念的柏拉圖很不一樣。

從此，亞里斯多德在呂克昂講學、著述，留下超過170本著作，包括哲學、物理、生物、天文、大氣、心理、邏輯、政治、藝術……幾乎涵蓋了所有學術領域，所以被喻為「百科全書式的學者」。其中一本《物理學》，被認為是世界上第一本物理學，說明了他對世界運作的觀點。書中的運動力學是這麼說的：

- 物體的運動分「自然運動」和「被迫運動」（或稱為強制運動）兩種。

自然運動　　　　被迫運動

- 自然運動的物體，不是垂直地面上升，就是垂直下降。

- 水、火、土、氣四種元素構成地球萬物。其中「土」和「水」具有「重性」，所以有自然下降的本性；「土」降到宇宙的中心，堆積起來成為地球。而「火」和「氣」具有「輕性」，擁有自然上升的本性。地面上的物體會停留在什麼位置，由組成它們的四種元素而定。

土　　　　水　　　　火　　　空氣

- 具有「重性」的物體比「輕性」的物體容易向下，所以重的物體掉落比輕的物體快。

- 除了直上、直下的自然運動之外，其他任何運動都屬於「被迫」運動；都必須受到與物體接觸的外來推力，物體才可能運動。

他用空中的石塊來做解釋——「當人們用手朝空中丟出石塊時，是由手推動石塊；但石塊離手之後，被石塊劃破的空氣，就會不斷反過來繞到石塊的後方，推動石塊。」

空氣

也因為如此，亞里斯多德認為「真空」不可能存在；因為真空中沒有任何空氣可以推動物體在其中運動。

西元前323年，亞歷山大大帝在征戰途中病逝，於是雅典人趁機起來反抗馬其頓人的統治；曾經擔任亞歷山大老師的亞里斯多德，為了「不給雅典人對哲學犯下罪惡」的機會，匆匆逃離雅典，回到母親的城邦加爾西斯（Chalcis）。可是第二年就過世了，有可能是因為胃病，享年六十三歲。

教會加持使有缺陷的理論主宰千餘年

好了，看完亞里斯多德的《物理學》，你是不是覺得跟你知道的現代物理差異頗大？如今亞里斯多德的《物理學》普遍被認為是「哲學」作品，而不是「科學」作品；因為亞里斯多德沒有設計實驗驗證自己的觀點，他對物體運動的論點，都是觀察日常生活的經驗，並且在花園裡「逍遙」的時候想出來的。

而且不少批評者質疑的是：任何運動著的物體一定受到其他物體推動才能移動；而那個其他物體，必定又是另一個推動者讓它移動的……

如此反覆反推回去，那麼誰才是那個自己不動卻能推動別人的「第一推動者」呢？

但是話說回來，在當時那個沒有測速工具、又沒有速度概念的古老年代，要進行物理實驗談何容易。再加上古希臘的哲學家們，不是貴族就是富有的自由民，他們輕視勞力工作，認為做實驗這種「低等」的工作屬於奴隸階級，上流的知識分子應該專注在精神領域，才是「高尚」的表現。亞里斯多德在眾多哲學家中，已經算是最「接地氣」的；他實際解剖了許多生物、親自觀察動物習性，在生物學有很大的貢獻；至於物理實驗，大概不如生物這麼容易設計，所以一直沒有進行物理實驗，因此在運動力學方面出現許多錯誤。

糟糕的是，時間進入中世紀（西元五至十五世紀）以後，支配歐洲人一切生活的教會，把亞里斯多德的學說與教義結合，還讓亞里斯多德的「第一推動者」變成「上帝」！從此以後，亞里斯多德的學說成為權威中的權威，在好長一段的歷史中佔據統治地位；一直到十六、十七世紀，才被伽利略、牛頓等科學家冒著被教會迫害的危險所推翻，但那已經是距離亞里斯多德寫完《物理學》兩千年以後的事了。

這就是亞里斯多德
的《物理學》

呃……第一頁就看不懂。

看不懂正常啊，
它是希臘文！

✏️ 快問快答 ‖‖

1 亞里斯多德研究那麼多學問，他到底是生物學家?物理學家？還是該統稱他為「科學家」呢？

威廉・惠威爾
1794 ～ 1866
英國哲學家、
神學家、科學史研究者

都不是，在亞里斯多德的年代，他們都認為自己是「自然哲學家」。物理學的希臘文「Φυσις」，就是「自然」；不管什麼學問都只是「自然」的一部分。「科學家」(scientist)一詞，則在1833年由科學史研究者先驅——威廉・惠威爾(William Whewell)提出。在這之前，不論像伽利略、牛頓那樣的大學者，都被稱為「自然哲學家」。

2 哲學跟科學聽起來差很遠耶！為什麼古時候的自然哲學家，會成為現代科學家的祖師爺呢？

其實自然哲學家跟科學家都在「尋找萬物運行的規則」、「解釋自然現象背後的原理」；只是自然哲學家大多靠「觀察」和「思考」；而科學家必須進行「實驗」加以驗證。也因此任何領域的最高學位「博士」，英文都稱Ph. D.或PhD，就是Doctor of Philosophy「哲學博士」！

LIS影音頻道 ▶

【自然系列—化學 | 物質探索01】科學怪博士—科學的起源

在遠古時期，人們對大自然並不了解，面對天災只能向天上的神明禱告。然而，年復一年，人們終於發現光靠神明並不能消災解厄，從此科學也開始悄悄誕生，無論是物理或化學，都從這裡起始……

第2課

浮力原理，尤利卡！

阿基米德

說 起來，亞里斯多德留下的「物理」觀念，不如說是「哲學」觀念。以現代人的眼光來看，他提出的物理雖然有錯，但是他的思考方式、求知精神啟發了後人，對於後世的科學發展還是影響深遠。尤其，他還教出兩個「特別」的學生，使得古希臘的學術風氣又特別蓬勃發展了好幾個世紀。

用力傳播科學的帝王

這兩個學生，一位就是我們上一課提到的「亞歷山大大帝」。可能因為受過亞里斯多德幾年的薰陶，亞歷山大深深相信，理性知識與科學技術可以建設國家、提升戰力！所以，他跟著名的征服者——拿破崙一樣（請見本系列《化學課》第8課），不管打仗打到哪兒，身邊都帶著一大票學者。這些學者沿路一邊做研究，一邊幫軍隊繪製地圖、擬定攻城計劃、設計戰爭器械；而古希臘的文明思想，就隨著他們的腳步與戰馬的鐵蹄，散播到希臘以外的帝國角落。這個時代，叫做「希臘化」時代；在希臘化時代裡，注重純粹思考的希臘哲學，不斷與其他地區重視實際應用的精神碰撞，激出更多燦爛的文明火花！

真想也有這種學生啊！

亞歷山大大帝

另一位學生，則是亞歷山大手下的一名大將「托勒密」。他跟亞歷山大一樣重視知識與學術的發展。亞歷山大過世後，帝國分裂（當時的帝國橫

原來，
世界的學術中心
曾經在非洲耶！

跨歐、亞、非洲，包括現今的埃及），托勒密統治了埃及，並在尼羅河的出海口都市「亞歷山卓」建立世界最大的學術中心，那裡有標本館、天文臺、動物園、植物園……更重要的是，還有一座巨大的圖書館！

被送到亞歷山卓的小孩

接下來的數百年，這座圖書館吸引全世界的學者，到此研究、切磋、講學、交流（包括為了捍衛真理而吵架，呵呵），想到一流學者門下學習的孩子，當然也常被送到這裡。

其中有個孩子，後來成為古代世界最偉大的數學家、物理學家、工程師、天文學家、發明家、愛國者……他是敘拉古的阿基米德，那一位在書中總是跟浴缸寫在一起的傳奇人物。

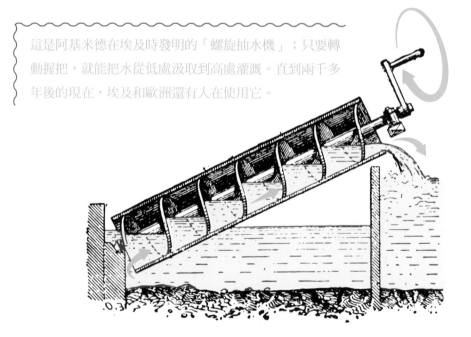

這是阿基米德在埃及時發明的「螺旋抽水機」；只要轉動握把，就能把水從低處汲取到高處灌溉。直到兩千多年後的現在，埃及和歐洲還有人在使用它。

西元前288年，阿基米德出生在地中海的西西里島。現今的西西里島是義大利的領土，在當時卻是古希臘的殖民地，隨著希臘勢力的沒落，分裂

成許多小國，其中一個濱海的城市「敘拉古」（Siracusa），就是阿基米德的家鄉。

義大利西西里島東邊的敘拉古

　　阿基米德的父親是一位天文學家，研究太陽、月亮與地球之間的關係。十一歲的時候，阿基米德就被熱愛知識的父親送到亞歷山卓，直到四十七歲才學成回到故鄉敘拉古，繼續研究數學與力學。

　　據說，阿基米德只要一研究就會發起功來廢寢忘食，不但在牆上、桌上隨手亂塗，地面也到處畫滿幾何圖型；還經常忘記梳頭、洗澡，一臉蓬頭垢面的「胎哥」樣。但好笑的是，讓他千古留芳的竟是洗澡的故事；不但洗出了課本上的阿基米德「浮力定律」，也讓「尤利卡！」（eureka；找到、發現的意思）成為希臘文中最廣為人知的一句話！

尤利卡！澡缸裡的大發現

阿基米德
288BC ～ 212BC
敘拉古數學家、物理學家

阿基米德是受人民景仰的學者，他和敘拉古國王希倫二世的關係也非常親近。希倫常出資贊助阿基米德的研究，而阿基米德也貢獻知識與智慧，幫希倫解決疑難雜症。充滿智慧的阿基米德有求必應，這一次也不例外。

事情是這樣開始的。希倫想要一頂全新的王冠。

他交給皇家金匠一塊純金，重量2磅，約莫將近1公斤；希望金匠就用這塊純金，打造一頂美麗莊重的王冠。但是當王冠造好後，有人告密說，金匠摻入了便宜的「銀」，而偷走貴重的「金」；雖然皇冠的重量跟當初的純金一樣是2磅，卻是摻銀的假貨。

「可惡！這是真的嗎？」任誰都不喜歡被騙，更何況是堂堂的一國之君。

「那只好請全國最有學識的阿基米德，來幫忙鑑定了。」國王想。

他不想直接定金匠的罪，反而找來阿基米德，請他在不破壞王冠的前提下，鑑定王冠是不是純金。

這下阿基米德頭可大了。王冠已經完成，不能拆開檢查、不能切割、不能破壞、不能熔化；還好，阿基米德唯一的嗜好，就是不斷的思考。他廢寢忘食的想了幾天，試過好幾種方法，問題仍是無解。

直到這一天，他終於到公共澡堂洗澡，滿腦子都是王冠的他剛把身體浸入水裡，就注意到兩件事：

「嗯？我的身子一下水，浴池的水就滿了出去。」

「而且泡在水裡時，我的身體輕飄飄的，好像重量減輕似的。」

「啊！我想到了！」

阿基米德突然跳起來，連衣服都沒穿，就像個瘋老頭一邊大喊「尤利卡！尤利卡！」一邊光著身體跑回家。

原來，希臘語的「尤利卡」（eureka），是「發現啦！」的意思。電光火石的瞬間，他在浴池裡想到了分辨王冠的方法。他體悟到：

「當物體沉入水中時，它所排開的水的體積，就是物體的體積。」

水管

水　　　　　量杯

「在水中的物體變輕，是因為受到向上的『浮力』。如果排開水的體積小，浮力就小；體積大，浮力就大；浮力的大小，會等於物體所排開的水的重量。」

阿基米德

他興奮的跑進王宮，向國王借了王冠和一塊2磅重的純金，然後把王冠和純金放在天平的兩端，一起放進有水的浴盆裡；結果，放著王冠的一端竟然慢慢翹起。

花生什摸事惹？

阿基米德大喊：

「啊哈！實驗已經證明，這頂王冠偷工減料，摻了白銀！」

「此話怎講？你是怎麼證明的，快解釋一下。」希倫國王一頭霧水，希望阿基米德好好解釋。

「親愛的陛下，我在洗澡時悟出一個『浮力』原理。那就是只要把物體沉入水中，水被排開的體積，就會是物體的體積。」

「這麼説，把王冠放進裝滿水的浴盆，流出來的水的體積，就應該會是王冠的體積？」國王問。

「是的，一點都沒錯。」阿基米德繼續解釋：「所以，重點就在王冠的『體積』上。因為同體積的銀比金『輕』，如果王冠要摻進銀，還要維持和金一樣重的話，造了假的王冠體積就必須要比純金來得大！放到水中後，排開的水會比較多，受到的浮力就比較大。」

「所以在水中秤起來，王冠如果有摻假，就會比2磅的純金輕！」國王推論道。

「沒錯！就像現在這樣！」阿基米德大聲的説。

「可惡，連國王都敢騙。來人啊！把造假的金匠帶過來！」

就這樣，自以為聰明的金匠，敗給了真正聰明的阿基米德，被國王處以極刑。

而追求真理的阿基米德乘勝追擊，繼續推導出：

「浸在液體裡的物體所受到的浮力，等於物體所排開液體的重量。」

並把這個論點寫入他的著作《論浮力》一書中，這就是我們課本中所教的阿基米德浮力原理。

就這樣，阿基米德這一洗，揭開了重大祕密。人類懂得利用浮體在海上航行，已經數萬年了。人人都知道水上能浮載物體，但是阿基米德是第一個用簡潔、精確、可計算的方式說出箇中道理的人，這是真正的科學無誤！說這是人類史上最重要的一次泡澡經驗，一點也不為過。

槓桿原理與戰爭機器

阿基米德提出的槓桿原理也是相同情形。人類老早就在無意間使用槓桿了，卻不曉得其中的原理，直到阿基米德在《論平板的平衡》中提出「**支點**」、「**力臂**」和「**支點兩端，施力與力臂長度的乘積相等**」等精簡的語言與計算方法，槓桿原理這才在人類的物理科學史上正式成形。

阿基米德運用槓桿原理設計了許多令古代人驚奇的機械。據說，他曾經幫希倫王建造一艘大船「敘拉古號」。當時希倫很疑惑，這麼大的船要怎麼用人力拖進海裡航行？

曾經說過「給我一個支點，我就能撐起全世界」的阿基米德，用滑輪和槓桿設計了一組簡單機具，把國王請到港口，坐在椅子上，輕輕鬆鬆的用單手就把大船拖進水裡。這讓希倫國王佩服得五體投地，直說「從今天

阿基米德軍事發明 1：
飛爪鉤船

飛爪

敘拉古軍

羅馬軍

起，阿基米德説什麼，我們都該相信！」

　　希倫王過世以後，阿基米德更把智慧貢獻於保衛國家，抵抗羅馬大軍對敘拉古展開的圍城攻擊。

　　他用槓桿原理設計了「投石機」：把點了火的大球丟向海上的羅馬艦隊，讓船上的羅馬士兵驚恐不已。他發明了一種名叫「飛爪」（Claw of Archimedes）的戰爭機器，把羅馬兵的船整個鉤起來，掀翻再沉進水裡；他還用銅鏡反射光線，聚集強烈的日光，火燒羅馬大軍。

阿基米德軍事發明 2：
火燒羅馬船

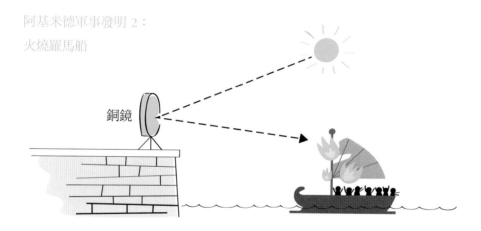

銅鏡

　　法國哲學家培根曾説：「知識就是力量。」這句話用在敘拉古抵抗羅馬的戰役上，一點也沒錯。阿基米德這種無厘頭的作戰方式，讓羅馬海軍整整兩年無法靠近敘拉古。弄得敵軍的羅馬將領馬克盧斯稱阿基米德是「幾何學巨人」，這裡説的「巨人」是希臘神話裡的妖怪，有50顆頭、100隻手；阿基米德以一擋千，根本是「羅馬艦隊與阿基米德一個人的戰爭」。

　　因為年代久遠，阿基米德的故事被後人添油加醋，增加不少傳奇色彩，而且流傳著許多不同版本，誰對誰錯，早已無法考證。

　　西元前212年，羅馬士兵終究還是殺進敘拉古城。據説，當時已經七十多歲的阿基米德正在專心研究幾何問題，沒有聽到羅馬士兵闖入的聲音；

而當士兵舉劍殺向阿基米德時，阿基米德驚醒抬頭，喊出的最後一句話竟然是：

「走開！不要破壞我的圓……」

科學知識隨政權改變沒落

或許，羅馬士兵殺死阿基米德是一種象徵，意味著追求哲理的希臘精神被羅馬扼殺。隨著羅馬的擴張與壯大，很快的，西方世界將進入羅馬統治的時代，希臘的科學思維像窒息的阿基米德般沉寂下來；因為羅馬人重視軍事、法律、政治和實用的技術，對於希臘人這種純粹的知識追求，興趣缺缺。接下來的時代，雖然城市建設、軍事工程得到長足的發展，但在純科學的領域上卻少有進步。

眼看科學在歐洲燃起的火光還沒壯大，卻即將變弱、變暗……不過還好，有人將火種帶到世界的另一個角落──中東的阿拉伯世界，科學的火苗將在這裡燃燒成熊熊火焰。

快問快答

1 阿基米德火燒羅馬船的故事是真的嗎？可不可以做實驗試試看？

自古以來這個故事就引起許多爭論，吸引許多人實際動手做做看。1973年，希臘科學家Ioannis Sakkas用了70面鍍銅的大鏡子，成功讓50公尺外的模型船在幾秒後就起火。人們認為這艘仿古羅馬軍艦製作的船塗有焦油可能是順利起火的主因。2005年，一群麻省理工學院的學生也曾用127面較小的鏡子，讓30公尺外的模型船起火，可是必須萬里無雲，且船要靜止至少十分鐘才行。

但在2006年和2010年，美國科普電視節目「流言終結者」的實驗卻失敗了。這些實驗有成有敗，誰也不確定阿基米德當時的天氣或環境條件為何，所以至今還無法確定故事真假。不只這樣，由於阿基米德的年代真的太久遠，關於他的故事都流傳許多版本，不知道哪個才是真的，就連「真假皇冠」的故事也一樣。

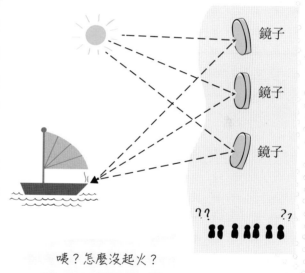

鏡子

鏡子

鏡子

咦？怎麼沒起火？

2 「真假皇冠」不就是阿基米德洗澡發現浮力的故事？還有什麼版本？

另一個版本跟皇冠無關。敘拉古國王希倫二世想造艘超級華麗、一般軍艦五十倍大的船，送給埃及的托勒密王。他要阿基米德負責打造這艘「敘拉古號」。為了不讓大船沉沒，阿基米德壓力也很大。

要怎麼做，才能讓這艘巨無霸，
好好浮在海上而不沉沒呢？

阿基米德

據說，阿基米德也是在泡澡時，大喊「尤利卡！」悟出浮力原理：「浮體排開液體的重量＝浮體本身的重量」。所以要讓兩千噸重的敘拉古號順利浮著，就必須讓船身夠大到可以排開兩千噸以上的海水。這終於讓敘拉古號順利完成。歷史學家懷疑，可能是攸關船隻大小、形狀的「龍骨線」希臘文「korone」與皇冠「corona」太像，所以故事被張冠李戴，經過兩千多年流傳後更混淆不清了。

LIS影音頻道 ▶

【自然系列—物理 | 浮力】

（浮力與密度）王冠的祕密（上）（下）

阿基米德泡澡時發現體積與浮力的關係後，連衣服都忘了穿就衝出去，原來，他發現了比黃金還要貴重的原理！

【自然系列—物理 | 光學01】

（光的直進性和反射）阿基米德怒燒羅馬大軍（上）（下）

羅馬大軍來到希臘的敘拉古城。面對眼前的大軍，城內的阿基米德該如何運用智慧擊退敵人？

第3課

「光」從哪裡來？

海什木

話說，隨著羅馬征服希臘，建立起橫跨歐、亞、非的龐大帝國之後，研究純粹科學的學術風氣漸漸沉寂下來。因為羅馬人的性格重視「實用」，勝於「派不上用場」的科學研究；再加上逐漸壯大的基督宗教，對古希臘的哲學思想沒什麼好感，他們重視信仰和教義，並且用神的話語解釋自然現象，所以把希臘哲學看成「異端邪說」，對古希臘學者和著作展開打壓。

羅馬帝國在西元117年
全盛時期範圍

大西洋

歐洲

黑海

地中海

非洲

亞洲

準備來洗澡了喔～

希臘
羊皮書

尤其到了西元380年基督教成為羅馬的「國教」以後，有時為了討好教會，羅馬皇帝會刻意拆除希臘神廟，任由基督徒燒毀希臘書籍，殘存的希臘哲學家或知識分子，只好逃到東方，聚集在對希臘哲學相對友善的拜占庭（即東羅馬帝國）和波斯帝國。

不妙的是，西元640年，換成阿拉伯的伊斯蘭教徒打壓希臘的自然哲學。他們攻進亞歷山卓以後，沒收了全城上下的希臘著作，你猜他們拿這些知識的結晶做些什麼？據說整整半年的時間，亞歷山卓的公共浴室都有源源不絕的熱水，這些抄寫著古希臘智慧的羊皮書，竟然都被一頁一頁拆開當燃料，拿去燒洗澡水去了。

CH
03

科學之光在阿拉伯重新點亮

阿拉伯佔領埃及不久，也滅了波斯；但阿拉伯的知識分子從波斯獲得許多希臘書籍，繼承了希臘學者的學術遺產，等到阿拉伯版圖越來越大，成為一個經濟繁榮、文化發達的帝國時，科學的種子在異鄉的土壤得到養分，又開始成長茁壯。西元八、九世紀，阿拉伯帝國阿拔斯王朝的哈里發特別喜歡科學，相信科學研究可以使國家繁榮，所以雇用許多人把希臘書籍翻譯成阿拉伯文，還在巴格達創建「智慧館」，就像亞歷山卓的學術中心一樣，有天文臺、翻譯館，很快的巴格達就成了當時世界的學術中心。

換句話說，科學之光在歐洲熄滅，在阿拉伯又重新亮起來。

一時之間，阿拉伯孕育出許多大學者，其中一位「阿布・阿里・艾爾－哈桑・伊本・艾爾－哈桑・伊本・艾爾－海什木（Abū ʿAlī al-Ḥasan ibn al-Ḥasan ibn al-Haytham）」為近代物理的光學做出巨大貢獻，還解開人類如何形成視覺的謎題。

媽呀，名字好長。

還好可以簡稱為——「伊本・艾爾・海什木（Ibn al-Haytham）」，我們就叫他海什木吧。

視覺從哪裡來？外射說 VS 射入說

什麼是「光」？人的眼睛為什麼看得見？這個問題看似簡單，人類卻花了幾千年才慢慢摸索到答案。在海什木的時代以前，古希臘哲學家巴門尼德（Parmenides）發現當人閉眼時，若用手壓眼睛，會「看見」光點；他認為這是因為眼睛中有「內火」會跟外界的光，也就是「外火」，作用產生視覺。後來許多哲學家紛紛提出理論，想解釋內火與外火如何作用，他們分成兩派學說——

外射說

畢達哥拉斯
570BC～495BC
古希臘哲學家

我認為，眼睛發出的火光，就
像觸鬚一樣從眼睛往外，一碰
到物體，我們就會看到它！

柏拉圖
429BC～347BC
古希臘哲學家

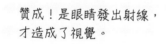

贊成！是眼睛發出射線，
才造成了視覺。

恩培多克勒
490BC～430BC
古希臘哲學家

我也贊成。但是眼睛發出的射
線，必須跟另一個光源作用才
行，像是太陽或燈火，所以我
們在黑夜裡看不見。

射入說

不！我認為，是物體發射出原子壓縮空氣，把物體的影像帶進眼睛，引起視覺。

德謨克利特
460BC～370或356BC
古希臘哲學家

是啊，我也覺得，是物體使某些東西進入我們的眼睛，我們才能看到它。

亞里斯多德
384BC～322BC
古希臘哲學家

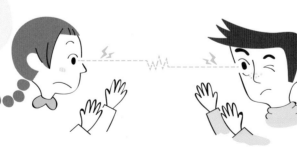

那如果這兩派學者對看會怎樣？

嗞嗞……說不定會爆炸喔！

外射說暫居上風

後來，或許是幾何高手歐幾里德（Eukleídēs）太厲害了：他贊成「外射說」，還用他最拿手的幾何學，算出眼睛外射的火光遇到物體會反射，而且入射角等於反射角……他把外射說「幾何化」，說得頭頭是道。所以往後幾世紀，外射說居於上風，射入說的擁護者少之又少。

歐幾里德

325BC〜265BC

埃及亞歷山卓數學家

克勞狄烏斯・托勒密

100〜170

埃及亞歷山卓物理學家、天文學家

除了反射現象，就連光的折射現象，也在西元二世紀被天文學家托勒密（Claudius Ptolemaeus）發現；他認為光進入比較緻密的介質時，速度會減慢，所以會朝著與界面垂直的角度偏折。不過，他說的「光」是「人眼發射的射線」。到底「光」是打哪兒來的？人眼如何看到光？還是沒有定論。

直到可憐的海什木遇上一場牢獄之災，光的謎題才總算得以解開。

牢獄中的光學實驗

伊本·艾爾·海什木
965~1040
阿拉伯物理學家

西元965年，海什木誕生在伊拉克的巴斯拉城。當時，那裡是由阿拉伯布維西王朝統治，而且正值經濟繁榮、學風鼎盛的黃金時代。

長大後的海什木在政府任職，因為數學特別厲害而享有盛名。多才多藝的海什木，也對工程及發明很感興趣。他聽說埃及的尼羅河年年氾濫，造成巨大災害，於是發下豪語，誇口說自己有辦法解決尼羅河氾濫的情形。

結果消息傳到埃及，埃及法蒂瑪王朝的哈里發哈基姆（al-Hakim）派人去找托勒密，要他前往埃及，運用知識與長才，好好整治尼羅河的水患。

據說，原本海什木信心滿滿，認為只要在南方的亞斯文修建水壩，就能輕鬆解決問題。可是真的到現場一看，尼羅河的寬度實在太寬，以當時的工程技術來説，根本不切實際。如果硬要修建水壩，只能擋住一部分的洪水，還會毀壞許多無辜百姓的村莊。

海什木不願意這麼做，卻也不想觸怒哈里發。

「聽説，這位哈里發得理不饒人，一定會砍了我的頭！」

「我該怎麼做，才能至少保住一條小命呢？」

以海什木聰明的頭腦，他很快就想到解決的辦法。他在哈基姆面前裝瘋賣傻，假裝精神出問題；哈基姆對他或許還有一絲期待，就把他軟禁在王宮附近，期待他有一天「神智清醒」以後，能為尼羅河做出貢獻。

這一關，海什木就在牢裡待了整整十年。

但在這漫長的十年歲月，海什木一刻也沒有閒著。獨自呆在牢房的時間這麼長，他正好拿來鑽研關於「光」的學術問題──

「唉，就連偉大的歐幾里德和托勒密都認為，是人的眼睛發射看不見的火光，光束彈回眼中，我們才能看見物體……」

「但是這樣不合理啊！要不然夜晚的時候，我們為什麼會看不清呢？」海什木開始懷疑大多數人相信的「外射説」，心中產生許多疑問。

「為什麼眼睛一睜開，就能使整個天空充滿亮光？為什麼眼睛見到陽光，會讓眼睛感覺刺痛？」

「或許是『射入説』」比較有理。但總該提出實際的證明，才能説服大家吧。」海什木心裡一直想找到有力的證據。

有一天，牢房的木窗不知為何裂開一個小洞；一束光線穿過小洞，射進昏暗的牢房，竟在牆上映出一幅奇妙的影像。海什木打開窗戶一看，窗外的金字塔透過小孔照進來，影像竟然變成顛倒的！

　　「太神奇了！我沒有看向戶外，戶外的影像卻自動出現在牆上；可見不是人眼發射光束，人才看見東西；相反的，是物體反射了日光，人眼才看見物體的！」海什木興奮極了。

　　「但是為什麼，影像會變成倒立的呢？」

　　他用筆在牆上勾畫，利用幾何線條來思考眼前的現象。

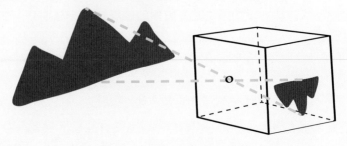

　　「我懂了，屋子外的陽光一定是沿著直線進入小孔，所以下會變在上，上會變在下，這個影像才會上下顛倒，而且還這麼清晰！」為了更進一步證明他的想法，海什木設計出「暗箱」，在箱上鑽一個孔，小孔的對面放有屏幕或白紙。夜裡，他在暗箱外點起三座小燈。

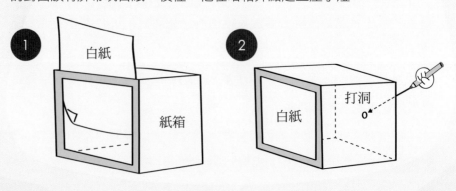

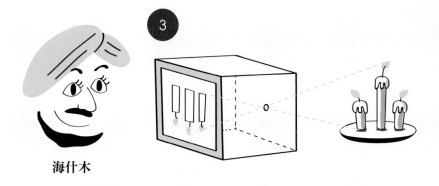

海什木

　　暗箱屏幕上便出現三個光點，分別對應三座小燈，只要用手放在光線行進的路線上，就能把燈光攔截下來。

　　「太好了！這就是光線以直線前進的最佳證明！」

　　「而且，我們的眼睛不用發射光到小燈上，也能看見小燈的影像；可見『外射說』是錯的！是光線從外面射入我們眼睛，我們才看到影像的！哈哈，我成功啦！」

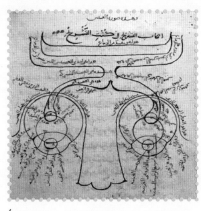

海什木曾經解剖公牛的雙眼，並畫圖說明人類眼睛的構造和視覺形成的原理。

　　興奮的海什木繼續做了不少跟鏡子、透鏡、反射、折射有關的光學實驗；並在獄中寫下他最著名的《光學書》（Kitab al-Manazir; Book of Optics）。這部厚達七卷的重量級作品，談論了光線的本質、顏色、視覺形成，還有光的折射、反射以及行進方式。直到1020年，暴君哈基姆去世，海什木才終於重獲自由。

成為現代光學之父

出獄以後，海什木憑著《光學書》大放異彩。一、兩百年後，他的理論又被翻譯成拉丁文，引進歐洲。歐洲把他的名字拉丁化，稱為「阿爾哈曾」（Alhazen或Alhacen，有時翻譯為「海桑」或「哈金」），而至於他在受苦受難的十年中寫的《光學書》則被中世紀的歐洲學者視為亮閃閃的「光學的寶藏」。

十二世紀時，海什木的《光學書》被翻譯成拉丁文，在中世紀歐洲受到廣大推崇；圖為十六世紀印刷版本的書名頁。

這張畫包含了光線反射和折射等原理，你發現了嗎？

老師，你把我關起來！說不定我可以想出新的物理學說。

我看你只是不想上課吧……

但是，海什木的成就不只是在光學上。他設計實驗的理念和方法，對幾世紀後的伽利略、牛頓、達文西等物理學大師都有重大影響。因為他主張：「**身為一個尋找真理的人，應該要站在自己所閱讀的文獻的對立面；並從不同的角度加以挑戰。也應該在做實驗時，不斷的質疑自己，以免得過且過，或是落入個人的偏見……**」這在當時是創風氣之先，所以海什木被認為是「現代光學之父」、「科學方法之父」，甚至是「人類史上第一個真正意義上的科學家」。海什木為自己的立論設計系統化的實驗，並加以證明——這是現代物理學重要的里程碑。對海什木個人來說的十年災難，或許是人類整體科學發展的意外收穫吧。

1 我看過有些書上說，古代中國的墨子也發現「針孔成像」原理，時間比海什木早了一千多年。為什麼「現代光學之父」不是墨子呢？

的確，《墨經》中記錄了墨子和學生們觀察到的針孔成像：「景到，在午有端，與景長，說在端。」意思是說，針孔成像之所以倒立，是因光線在針孔處交叉，而影像的長短，則與針孔位置有關。

但是墨子的理論沒有得到傳承，慢慢沉寂了。相反的，海什木的理論被引進歐洲後，引起學界後續的光學研究，民間也陸續發明相關設備，像是公園裡的大型暗箱，能讓人在裡面觀賞周遭風景。所以一脈相傳下來，海什木就被尊為「現代光學之父」。

在公園或觀光景點，娛樂用的大型暗箱。人們可以旋轉頂部的結構，觀看四周的景色。

2 偷窺用的「針孔」相機，就是利用針孔成像的原理嗎？

沒錯。針孔相機不需要鏡頭，只需要一個小孔，所以可以做得很小，常被用來偷窺他人。不過缺點是，因為透過針孔進入的光線太少，所以拍一張照片必須曝光數分鐘，要拍影片就更難了。所以現在大多以魚眼或平面鏡頭的「微型攝影機」來取代，雖然已不是真正的針孔攝影機，但人們還是習慣這麼稱呼。

有趣的是針孔成像的缺點，用在觀測日食就剛好變優點。讓陽光透

過紙孔、蒸籠上的小洞或樹葉間的縫隙，都可以「針孔成像」在地上，我們看成像在地面的日食，眼睛就不會受到陽光直射傷害了。

3 這堂課都在講射入說。那光射入眼睛後，我們到底是怎麼「看到」東西的？

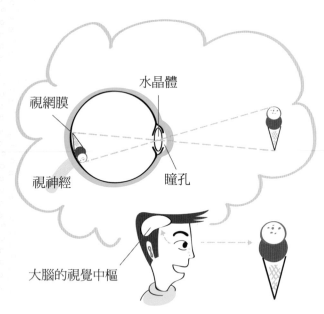

簡單講，物體光線從瞳孔進入眼睛、在水晶體中折射，然後在視網膜上成像。視網膜上的感光細胞把光刺激轉換成神經訊號，再傳到大腦的視覺中樞，等大腦感知到「看到」眼前的物體，視覺才算正式形成。

LIS影音頻道

【自然系列─物理丨光學02】

（視覺原理與針孔成像）海什木牢中十年磨一劍 （上）（下）

西元八世紀阿拉伯人佔領歐亞非成為超級大帝國，並保留了被征服者過去的知識結晶，進而迎來五、六百年的輝煌時代！而在當時通才各領域的海什木被哈里發徵召解決尼羅河氾濫的問題，卻遭遇到前所未有的大挑戰，被關進牢裡的海什木會怎麼樣呢？

第 4 課

慣性與自由落體

伽利略

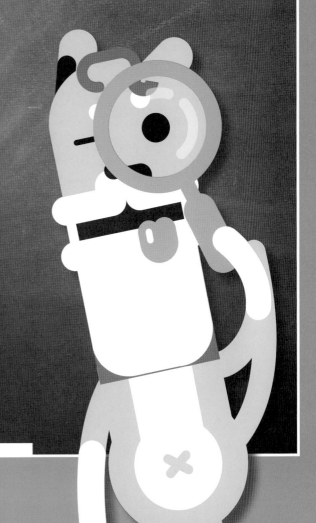

猜猜看，兩顆球會不會同時著地？

啪嘰！

糟了～

老師快下來～

老師快下來～

神說我現在必須立刻回家睡覺。

神才沒有說。

揮別十一世紀的海什木與阿拉伯世界，我們讓歷史的鏡頭重新回到科學的發源地——歐洲。

上一課我們提到，西元三、四世紀左右，基督宗教在歐洲興起，開始打壓古希臘的自然哲學思想。進入五世紀以後，天主教會的權力已經大到幾乎支配著歐洲人的一切生活，從出生、成長、結婚到死亡，一切行為都該遵循神的教條；話不能亂說，事不能亂做，就連腦子裡的東西，神說不該想的事，都不許胡思亂想。

神已經給出了人世間一切事物的解釋。至於古希臘那些離經叛道的科學研究呢？理所當然應該被嚴格禁止。在接下來將近九百年的時間裡，宗教緊緊掐住歐洲的藝術、文化、科學、美學……人心變得迷信、愚昧，時時恐懼上帝懲罰，戰爭與瘟疫經常爆發，歐洲就像陷入見不到光的黑夜一樣。有人把這段期間稱為「黑暗時代」。但就算處在最黑最無望的暗夜之中，渴望光亮、自由與真理的靈魂依然存在。

古希臘自然哲學重回歐洲

到了十一至十三世紀，狂熱的基督徒發動「十字軍東征」，原本是想從阿拉伯人手中奪回聖城耶路撒冷，沒想到他們卻意外的帶回阿拉伯人保留下來的古希臘著作；使得古希臘的自然哲學從歐洲出發，繞了一大圈，經過一千年又重新回到歐洲。不過，這

西元1096年到1291年，歐洲天主教徒發動「十字軍東征」，持續了將近兩百年。雖然東征以失敗告終，但促成了東西方文化的交流，對當時的社會、經濟和文化有很深遠的影響。

CH
04

時被帶回「原產地」的版本，已經變成阿拉伯文，必須重新翻譯成當時歐洲學術界通用的「拉丁文」，歐洲人才能重新見識到柏拉圖、亞里斯多德、歐幾里德在千百年前留下的精彩思想。

這場「大翻譯」運動使整套亞里斯多德的自然哲學在歐洲復活，剛開始教會當然很不開心，怕亞里斯多德那些「奇奇怪怪」的想法「污染」了世人純潔無瑕的信仰；於是三度頒發禁令，禁止傳授亞里斯多德的學說。但是結果出乎意料，越禁止，人們的渴望越強烈，以致於教會乾脆派人把亞里斯多的學說跟教義互相融合；經過一番「豬羊變色」後，亞里斯多德的一切變得神聖、高尚，成為「神所認可」的哲學觀點。但是教會權威的本質可沒啥改變——凡是跟亞里斯多德不合的哲學思想，一樣禁止、處罰、消滅！

嗚嗚，
怎麼會這樣。

亞里斯多德

別傷心，
你也不願意吧。

亞里斯多德的學說有問題

就這樣，被宗教「利用」的亞里斯多德，莫名成了中世紀的統治者。有超過百年的時間，只有亞里斯多德的主張才是對的，包括他的力學思想——**「要讓物體運動，一定要施力；一旦不施力，運動就會停止……」**真的是這樣嗎？那為什麼我們丟球時，球都脫離手了，卻還會繼續前進呢？亞里斯多德還説：**「越重的東西『重性』越強，下落的速度的速度也越快」**。（請參閱第1課P25）事實真是如此嗎？

直到十四世紀來臨，從義大利起始的「文藝復興運動」，在歐洲傳播開來——主張應該擺脫神的束縛，重新以客觀、理性的方式探討科學；才開始有人發聲，挑戰教會的權威與亞里斯多德的思想。

據説，義大利物理學家伽利略（Galileo Galilei），就爬上奇蹟廣場的「比薩斜塔」，在眾目睽睽之下，進行了自由落體實驗——

斜塔上的 伽利略

伽利略・伽利萊
1564～1642
義大利物理學家、數學家、天文學家

伽利略在義大利比薩大學讀書時，不怎麼討人喜歡。

他的爸爸是個精通數學的音樂家，但是數學和音樂並沒有為他帶來財富，所以他把十八歲的伽利略送進比薩大學學醫，希望伽利略當上醫生以後，可以改善家庭的經濟環境。無奈伽利略對醫學沒有興趣。反倒跟爸爸一樣喜歡數學，還對各式各樣的物理現象興味盎然。

傳說他觀察教堂天花板的吊燈擺動，發現「擺的等時性」原理；接著又利用這樣的原理，發明可以測量脈博次數的「計脈器」；這些創舉都讓年紀輕輕的伽利略聲名大噪。但他的醫學成績仍然很糟，生氣的爸爸不願意再幫他付學費，伽利略只好休學，離開了比薩大學。

不過有趣的是，伽利略的數學、物理造詣實在太強大，幾年後「壞學生」伽利略竟然回到比薩大學當起了數學教授。而且，他的個性一如往常，喜歡用實際的證明向權威挑戰。

有一天，他在其他教授與全體學生面前爬上「比薩斜塔」，讓兩顆鐵球自由落下。結果，只聽見「砰！」的一聲，一磅重和十磅重的鐵球竟然同時落到地面，發出聲響！

伽利略

「太奇怪了！如果按亞里斯多德的學說，十磅重的鐵球重量是十倍，速度也應該快十倍。結果怎麼會是同時落地？」圍觀的人群開始躁動，議論紛紛。

「我懷疑他在鐵球裡動手腳。」有人提出陰謀論。

「有可能。亞里斯多德是『聖人』，聖人說的話是不會錯的！」

「走吧走吧，別看了，我們走。」

就這樣，現場的教授、學生親眼見證，卻沒有歡呼、沒有掌聲。懷疑的人依然懷疑，而至於相信的人，也只能在心裡默默的佩服，一聲都不敢吭，以免惹禍上身。

那一年，伽利略二十六歲，這個改變物理世界、理應「轟動武林、驚動萬教」的重要實驗，就在一片尷尬與靜默中，平淡無奇的落幕了。

比薩斜塔實驗是真的嗎？

　　故事說完了，是不是很有意思？事實上，這個實驗雖然赫赫有名，卻從來沒有確切的記載，只在伽利略的學生維維亞尼撰寫的伽利略傳記中出現短短幾行；維維亞尼沒有親眼目睹，伽利略也從來沒有提起。所以有人懷疑，可能是維維亞尼搞錯了，伽利略根本「**沒有**」做過比薩斜塔的落體實驗！

啊?
是我搞錯了嗎?

我在荷蘭代爾夫特的
新教堂塔做的自由落體實驗，
才是真正有紀錄的喔!

溫琴佐・維維亞尼
Vincenzo Viviani，1622～1703
義大利數學家

西蒙・斯蒂文
Simon Stevin，1548～1620
荷蘭物理學家

　　而且這個實驗在有「空氣阻力」的情況下，兩顆球其實很難同時落下。伽利略千真萬確做過的，其實是從一連串的「斜面實驗」，推導出「自由落體」和「慣性」理論，這才是真正打擊亞里斯多德思想權威的重要論證！

叮叮叮！伽利略的斜面實驗

歡迎來到斜面實驗。

伽利略

這才是我推導出慣性和
落體運動的重要實驗喔！

　　想想看當你十八歲的時候，你的人生會是什麼樣子？大科學家伽利略十八歲的時候，還是一個喜歡數學、想讀物理，卻被「困」在「醫學院」的大學生。

　　據說，有一天伽利略上教堂做禮拜，當神父偉大的布道聲像悠揚的催眠曲一樣流過他的耳朵時，一處小小動靜卻引起他的注意。原來，一位教堂的司事默默的走來點燈，讓天花板上的吊燈在空中一來一回的擺動著。伽利略聚精會神的觀察，覺得吊燈的擺動似乎是有規律性的。他

走上前去，推了一下吊燈，又坐回位子上，按著自己的脈博仔細的計算，他發現不管吊燈擺動的幅度有多大，擺動所需要的時間似乎都一樣，他把這個發現稱為單擺的「等時性」。這個傳說不知道是不是真的。但不管它是真是假，伽利略的確是為了研究「擺的等時性」和「自由落體」的問題，才開始一連串的「斜面實驗」。

　　或許你以為「擺的等時性」、「自由落體」和「斜面」是三碼事，彼此之間好像沒什麼關係。但是伽利略不這麼想，他認為單擺和自由落體都是由「物體的重量」造成的，仔細研究的話，一定可以找到內在的關聯——

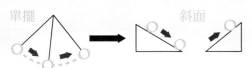

單擺的曲線如果能簡化成直線，像不像在兩個相對的斜面上運動一樣！

單擺的幅度越大，就像從越傾斜的斜面向下滑！

斜面的傾斜角度達到90度時，滾下的物體就變成自由落體啦!

伽利略用斜面串連起單擺和自由落體的問題。

伽利略

即使伽利略的比薩斜塔故事可能不是真的，他也聽說過有人爬到高處進行自由落體的實驗。但球從塔上掉落的速度實在太快，當時的建築高度又普遍不高，很難確認球是不是同時落地；如果他能讓球改在「斜面」上滾動，一方面能延長掉落的時間，一方面能拉長運動的距離，反而比自由落體更好研究物體運動的規律。

「好，就決定這麼做，動手吧！」伽利略有名的斜面實驗就這麼開始了。他用12庫比特長、半庫比特寬的木板（1庫比特約45.7公分）做成「斜面」；在斜面刻上一條凹槽，打磨得光滑平直，並貼上羊皮紙，使銅球沿著凹槽滾下來時，能儘量平滑順暢，沒有摩擦阻力。

那麼時間呢？在還沒有鐘錶的十六世紀，要怎麼精確計算銅球滾下的時間？一開始，他使出最擅長的一招——數自己的脈搏。

可是脈搏有時快、有時慢，必須找到更穩定的計時辦法才行。

糟糕，
脈搏加快了！

「那就用『水鐘』吧！」伽利略立刻動手設計。他把一個盛水的容器放在高處，並在底部的小開口接上細管；每次銅球開始滾動，就用小杯子收集細管流出的水，直到銅球落下，最後再用天平秤水重。水重的差別，就代表時間的差別；水重的比值，就代表時間的比值。但是水鐘無法測量連續兩段時間，於是他就改用聲音：在斜面上方每隔一段距離

就設置一顆鈴鐺，當球通過打中鈴鐺時，就會發出響亮的「叮！」利用聲音間隔判斷時間間隔。結果當他試著讓每個鈴鐺距離相等時，銅球滾下後，叮聲響起的時間竟然越變越急。

「哈！可見，球是一邊滾下一邊加速，才不是像亞里斯多德說的『均勻速度』呢！」他對自己的發現非常有自信。

「不過，雖然確定球加速，但速度到底增加多少？我來調整鈴鐺位置，調查一下……」結果他發現，當鈴鐺在斜面上相隔1、3、5、7、9……個單位，也就是距離起點分別是1、4、9、16、25……個單位時，鈴鐺響起的時間間隔竟然一樣。

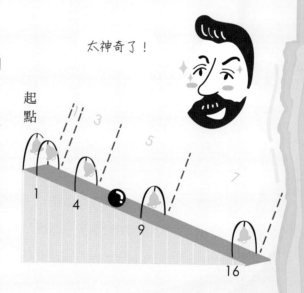

「太神奇了！1、4、9、16、25……這組數字裡一定藏著什麼祕密。」精通數學的他，很想用簡潔的數學來解釋眼前的運動現象。他決定再做一個實驗，測測球滾過不同長度的斜面究竟需要多少時間。結果──

「啊哈，我找到啦！當球從斜面滾落時，**落下的距離會跟時間的平方成正比！**」

長度單位距離	所需時間單位
1	1
4	2
9	3
16	4
25	5

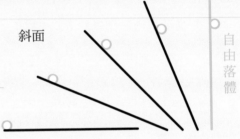

斜面　　　自由落體

重點是，不管他怎麼調整斜面的斜度，以上結果都成立；當斜面傾斜角變成90度時，物體就成為「自由落體」；所以他推測，自由落體的距離和時間關係也跟斜面有相同的現象。而且，不管多重、多輕的球，在相同斜面滑下的速度都一樣。這打破了亞里斯多德「重物比輕物先落地」的理論，證明亞里斯多德完全錯誤。

除此之外，伽利略也用「斜面」，悟出了物體具有「慣性」的道理。

當德國天文學家克卜勒（Johannes　Kepler，1571~1630）首先提

出「慣性」這個字時，它的語義是「懶惰」的意思。是指物體在亞里斯多德的運動理論中，「懶」得改變它在自然位置中應有的位置，也抗拒被改變，所以具有「慣性」。

但是伽利略並不同意亞里斯多德，對「慣性」有另外一種看法。

他讓銅球從不同的斜坡裝置落下時，發現銅球總是會回到與出發點相同的高度：

「嗯？難道這就是一種『慣性』？」他細細的思考。「那如果我把斜面放平，不讓銅球有機會回到原本的高度呢？」結果，銅球保持落下時的速度，不斷前進。

這讓他推導出「物體具有慣性」的結論，**「施加外力，改變的是物體的速度，而不是位置。維持物體的速度不變，不需要任何外力。」**

伽利略經過斜面實驗所得到的結論，不但推翻了亞里斯多德的主張，更為後來的牛頓第一、第二運動定律打下重要基礎。

誰拿蘋果砸找？

牛頓

這是真的！
不是「魔術」啊！

宗教迫害來了！

伽利略對物理的貢獻不只如此。他用自己改良的望遠鏡，觀察到月亮上有山脈和山谷、太陽表面有「黑子」、銀河是由大量的恆星組成，而木星有四顆衛星繞著木星旋轉等。這些發現不僅在學界引發地震，卻也為他帶來麻煩。因為教會採用亞里斯多德的學說，認為天體是完美無瑕、地球是宇宙中心。於是伽利略被視為邪門歪道，明明「事實擺在眼前」，許多天文學家卻不願意改變，拒絕用望遠鏡觀察天空。

更糟糕的是，伽利略跟學者布魯諾（Giordano Bruno，1548~1600）一樣，支持哥白尼的「日心說」（又稱「地動說」，地球繞著太陽轉動），反對教會所宣揚的「地心說」（又稱「天動說」，地球是宇宙中心，太陽繞著地球轉動）。布魯諾被教會活活燒死在火刑柱上；伽利略只好稍加收斂，不再多說；但後來仗著新上任的教宗烏爾班八世是自己的好友，伽利略又忍不住寫書宣揚哥白尼的日心說。結果可憐的伽利略被押上羅馬的宗教裁判所，為了保住性命，不得不在口頭上認錯。

畫家筆下的伽利略受審圖。據說宣判後，口頭上認錯的伽利略，不甘心的說：「但地球仍在轉動呀！」意思即便教會將他軟禁，也不會改變地球繞著太陽轉動的事實。

最後，伽利略被教會終生軟禁，眼睛全盲，直到老死。但是伽利略堅持的真理不死──

1971年，美國阿波羅15號的太空人，在幾乎真空的月球表面，證實錘子和羽毛的確會同時掉落。

到了1984年，天主教宗若望保祿六世終於承認，教會對伽利略的迫害是一項錯誤，總算還給先知伽利略一個遲來的公道。

快問快答

1 我還是不太清楚什麼是「慣性」，生活中有哪些現象跟這個有關？

慣性簡單說明，就是「**在沒有外力的情況之下，靜者恆靜，動者恆以等速度運動**」。比方說你原本靜止不動的站在滑板上，有人突然拉動滑板，你就會往後倒；這就是「靜者恆靜」，身體要維持原本靜止的「慣性」造成的。另一個常見的例子是，當你坐在車上以大致相同的速度前進時，車子剎車，你的身體會突然前傾，這就是「動者恆動」，是身體要維持原本的速度前進的「慣性」。

哇！
真危險！

不過地球的環境多少都有摩擦力或空氣阻力，物體大多會因此自己慢慢的停下來，很難表現真正的「慣性」。除非是在近乎真空的太空中，只要不撞到東西，就能維持等速度，航向浩瀚無垠的宇宙啦！

2 如果一架直升機從地面垂直升空，保持不動！等地球自轉20小時後，再垂直下降，會降回原地點嗎？

當我們靜靜坐著「不動」時，其實是以相同速率（在赤道大約每秒465公尺）跟著地球一起自轉！我們四周的物體和靠近地表的空氣也一樣，所以在「理想」狀況下，這架直升機下降會回到原點。但高空中的大氣因為遠離地面，並不完全受制於地球轉動的慣性；因此每層大氣都有獨特而複雜的氣流方向，除非直升機飛到大氣層外，不然多少都會受到氣流影響並改變位置。

3 伽利略和同時代的學者布魯諾，同樣支持「日心說」；為什麼布魯諾被活活燒死，而伽利略卻只有被終生軟禁呢？

焦爾達諾·布魯諾
1548 ～ 1600
義大利數學家、哲學家

可能是因為布魯諾特別「嘴硬」吧！其實布魯諾年輕時曾經成為一位神父，但後來他批判神學和經院哲學，又宣傳哥白尼的日心說。他被捕入獄八年，始終堅持自己是對的，宗教法庭只好將他處死。相反的，伽利略雖然心裡不服氣，但嘴巴上假裝認錯，可能因此逃過一死。

伽利略死後一百多年，罪名終於被平反。當他被隆重的改葬時，遺體的一顆牙齒和三根手指還被取了出來。如果你有機會去義大利佛羅倫斯的伽利略博物館，不妨去看看，保存在那裡的伽利略右手中指喔！

LIS影音頻道 ▶

【自然系列─物理 I 力學01】

（速度與加速度）牛頓老師的蘋果教室

伽利略高高的站上比薩斜塔拋下兩顆球，不僅開啟了對力與運動的實驗研究，也成為牛頓三大運動定律的基石。

【自然系列─物理 I 力學02】

（伽利略與慣性）原來是習慣的部分啊

十四世紀布里丹博士曾提出「物體被拋擲後，明明沒施力，離開手卻會繼續運動」的相關問題與假說，到底物體的運動是怎麼回事？

第 5 課

打開電磁學的大門

吉爾伯特

上一課我們談到，支持日心說的布魯諾、伽利略為真理挺身，結果不是著作被禁，就是終身被關，甚至被活活燒死。這是近代科學從宗教的牢寵破繭而出前的痛苦掙扎。

幸好還是有好運的科學家

但事實上，當時並不是每一個科學家的下場都如此悲慘，也不是每一種科學領域都受到教會如此嚴厲打壓。像是純粹的「數學」、「幾何學」，不影響到一般人的信仰和價值觀念，比較少受到宗教的干預；而相反的，關係到道德觀、宇宙秩序的哲學或科學問題就比較敏感，萬一科學家自以為「理性」的做著觀察、實驗，做著做著得出與教義不合的結果，很容易就挑起教會的敏感神經，立刻被壓制打為異端邪說。

幸運的是，還有一些實用型的科學領域，在大眾的日常生活扮演重要角色，所以受到很大的包容，例如醫學或地磁學。

十五世紀進入十六世紀的當下，正是歐洲各國爭相在海上擴張、追逐財富與利益的時代（第八課我們會再詳細說明），迫切需要跟導航有關的磁性研究和地磁研究；被譽為「電磁學之父」的英國醫生威廉・吉爾伯特（William Gilbert）就是搭上這股風潮，研究了十幾年的磁石，不但沒有受到教會干涉，還功成名就、名利雙收。

焦爾達諾・布魯諾

1548～1600

義大利科學家

那、那我還是不要研究天文學好了。

不過，吉爾伯特如此幸運，還有另外一個重要原因。在開始他的故事以前，讓我們先從人類發現磁與電的歷史說起……其實，世界各地的人們發現「天然磁石」或「摩擦生電」的現象，可以追溯到很久以前。

電與磁傻傻分不清

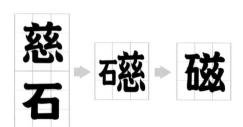

在中國，人們無意間撿到一些黑色的石頭，發現它們竟然可以牢牢的吸引鐵塊；就像「慈母」緊緊抱著自己的孩子一樣，所以就稱這種石頭為「慈石」，後來在「慈」邊加上部首變為「磁」，慢慢的又簡化成為今日通用的「磁」字。

偶然間，人們也在生活中發現「頓牟掇芥」或「瑇瑁吸䴏」的現象。「頓牟」、「瑇（ㄉㄞˋ）瑁」從文獻推測，應是指海龜的龜殼，「芥」、「䴏」（ㄖㄨˋㄛˋ）是細小的種籽、草屑。簡單講，就是摩擦海龜殼可以吸引草屑，一種「摩擦生電」的簡單現象；但是，古代人並不知道電與磁的分別，只是因為它們都有神奇吸力，就把他們相提並論、混為一談。

而在西方，情況也一樣。

都會吸引，
它們是一樣的！

瑇瑁

磁石

磁針

傳說，古希臘有位牧羊人，帶著羊走遍土耳其西部的崎嶇山嶺。有一天，他經過一個名叫「馬格內西亞」（Magnesia）的小鎮時，涼鞋鞋底上的釘子，突然被地上的石頭緊緊吸住。原來，這個小鎮的土地富含吸力強勁的天然磁石；於是人們就開採這些磁石、販賣到各地；後來小鎮的名字就演變為現代磁石的英文字Magnetite。

所以，「科學發源地」古希臘的那群自然哲學家們，自然不會放過這種有趣的自然現象；老早在西元前六、五世紀，他們就把磁石買來加以研究，為那神祕不可見的磁吸引力做出解釋：

米利都的泰利斯
624BC～546BC
古希臘哲學家

嘿，磁體具有生命力，因為它能移動生鐵。

磁石會吸引鐵環，並賦予鐵環一樣的能力，所以鐵環能吸引其他鐵環，變成一長串……

這個我會，像這樣。

柏拉圖
429BC～347BC
古希臘哲學家

　　而至於用布或獸皮摩擦後，能吸起碎紙、草屑的「琥珀」呢？古代西方人跟中國人的想法類似，認為既然這跟磁石都同樣能隔空吸引，大概屬於同類物質，也算具有「磁力」吧！

　　所以，在很長的一段西方歷史裡，有「磁」這個字，卻沒有「電」這個字；靜電一直被誤以為就是磁力；直到吉爾伯特出現，才終於把磁與電明確分開，從此打開了一道通往「電磁學」的大門。吉爾伯特在科學史上立下大功，而且幸運的是——沒有受到迫害。

這就是現代說的「磁感應」現象。

地球是個大磁石

威廉・吉爾伯特
1544～1603
英國醫生、物理學家

倫敦，十六世紀末。威廉・吉爾伯特已經是個醫術高明的有名醫生。但在工作之餘，他最感興趣的卻是科學研究。剛開始他的最愛是化學，但是最近突然迷上「天然磁石」這種神奇玩意兒。據說，只要在磁石上抹大蒜，磁石的磁性就會消失；古希臘的醫生還會拿磁石製成藥粉或油膏，治療燙傷或眼疾。

「這種藥真的有效果嗎？」身為醫生的吉爾伯特對這種藥方自然有點興趣；但是最吸引他的，還是英國的羅伯特・諾曼（Robert Norman）發現的奇特現象。據說，這位曾經航行大半個地球的儀器製造商親自製造指南針時，遇到了一些困難：他將磁石磨成指針，可是指向北極的那一端，老是往地面傾斜；害他得在南極端加上秤錘，指針才能保持完美的平衡。

羅伯特・諾曼

為什麼桌上指南針
指向北的地方沉向地面呢？

　　這一天，指針傾斜的太厲害，諾曼忍不住把沉下去的北極端削短一點，結果越削越短，一不小心毀了整個指南針，他氣極敗壞。

　　「這到底怎麼回事？」諾曼差點吼出來。

　　被惹毛的諾曼決定動手調查，不再對這個經常出現的惱人現象，睜一隻眼、閉一隻眼。結果，他發現了**「磁傾角」**。**只要讓指南針可以不受限制的自由轉動，指針就會朝向地面小小的傾斜；在地球上不同緯度的地方，磁傾角就會不同。**但是，磁傾角究竟是從何而來的呢？諾曼還沒有找出答案。1581年，他在自己的《新奇的吸引力》一書中公布了磁傾角的發現，引起吉爾伯特極大的興趣。

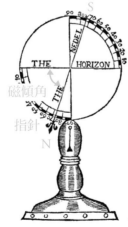

水平線

磁傾角

指針

磁傾角是地面與地球磁場的夾角。圖為諾曼在《新奇的吸引力》一書中所繪的磁傾儀。

吉爾伯特想起了另一位學者佩雷格林納斯（Petrus Peregrinus de Maricourt；十三世紀）的研究。他模仿佩雷格林納斯，用磁石先打造一顆圓球，然後拿小磁針在磁球表面四處移動，探測磁球的每個角落對磁針的影響。

　　「太神奇了，諾曼提到的『磁傾角』，在磁球上也會表現出來！」他對磁球那看不見的力量感到驚奇。「而且，磁球上的磁傾角，跟真正地球在不同緯度的磁傾現象，非常相似。難道……」一個前所未見的創新想法，在他腦中萌芽了。

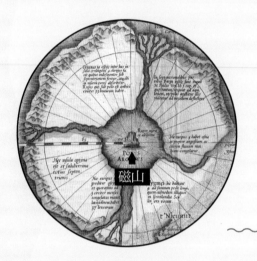

磁山

十六世紀以前，人們相信地磁的來源是因為北極附近有一座巨大的磁山。如當時的地圖大師麥卡托（Gerardus Mercator）在地圖中所繪。

　　但是，用更多實驗驗證想法，才是真正的科學。他重複佩雷格林納斯的做法，在球面上的各個地方畫出磁針的方向，結果發現球面上各個磁針的指向可以連接成一個個大圓圈，就像地球的「子午線」（現代所說的「經線」），稱為「磁子午線」；而且磁子午線的兩個交叉點，就落在磁球的南極、北極上──正是整個磁球磁力最強的地方。

　　「磁針在『磁球』上的表現，真的很像在『地球』上的表現。」

「我覺得我的想法沒錯，應該可以大膽的公布，讓大家一起來研究。」

於是，他把它的磁球叫做『小地球』（terrella）；並把自古以來的磁學研究加上自己的發現，總結成《論磁石、磁體和地球這塊大磁石》這本書，在1600年公諸於世。

他認為：

「地球本身就是一個大磁石，上面覆蓋岩石、泥土和一層水。

形狀不規則的磁球，磁力方向也會不規則，就跟地球的實際情況一樣。

用『小地球』上的磁針傾斜來推測，地球北部的磁傾角應該比倫敦大，而到了北極、南極，磁針應該會和地面呈現垂直狀態。」

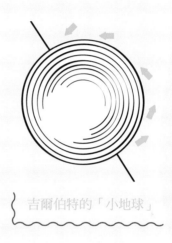

吉爾伯特的「小地球」

這個「地球本身就是大磁石」的大膽假設，轟動了當時的科學界；教會對這個十分前衛的科學結論，也沒有太大的意見。一來，當時的吉爾伯特已經成為伊莉莎白女王的御醫，身分地位非常崇高；另外一個更主要的原因是：吉爾伯特雖然有了新發現，但他做出的解釋沒有違反亞里斯多德的權威。亞里斯多德認為**「地球是有靈魂的」**，吉爾伯特也說：**「磁石具有靈魂，所以會互相吸引」**、**「地球的靈魂就是磁力，而磁力一直延伸到天上，使宇宙完美的合而為一。」** 這個想法雖然有誤，但在當時，卻是受到教會許可和歡迎的。

吉爾伯特正在伊莉莎白女王面前演示磁性實驗。

　　除此之外，既然當時的大家認為摩擦後的琥珀吸力也是「磁力」的一種，研究磁性的吉爾伯特當然也對琥珀仔細的研究一番。他發現除了**琥珀，寶石、水晶、玻璃和硫磺，摩擦後也都有吸力**。只是，他一點都不認為琥珀的吸力就是「磁力」。因為：

1 琥珀需要經過摩擦，磁石不用。 **吉爾伯特**

2 琥珀能吸住所有輕的東西，
但磁石只能吸引金屬。

3 紙、布或者水能阻擋琥珀的吸力，
但不能阻擋磁力。

所以他認為，**摩擦琥珀後發出的吸引力，和磁石的磁力並不一樣；**
應該另取一個新名字，以做為區別。

嗯，這種力既然
是從『琥珀』
（electrum）發出來
的，我想想……

那就叫做『琥珀力』
（electricus）吧！

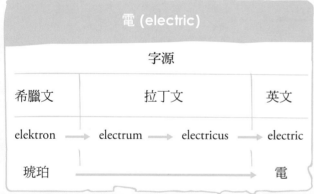

電 (electric)		
字源		
希臘文	拉丁文	英文
elektron ⟶	electrum ⟶ electricus ⟶	electric
琥珀		電

吉爾伯特就這樣從琥珀的希臘文elektron創造了「電」的拉丁文
electricus，沒多久，這個字轉成了英文（electricity）以及其他歐洲
語文。演變到今天，就成為我們所說的「電」（electric）。

歷史走到這邊，「電」與「磁」終於被區別開來了。

但是，對於「電怎麼來」這件事，吉爾伯特又是怎麼想的？他在書
中寫下他的理論：「……當琥珀受到摩擦時，原本被束縛在琥珀裡的某
種『氣』，就會散發出來，在琥珀四周形成一圈氛圍，等到這些氣回到

琥珀時，就會吸引一些較輕的物質……」意思就像香料發出香味，但終究不會減輕重量一樣。

今天，科學已經證實，「摩擦生電」是電子的重新排列造成的，而不是因為發出「氣」。但是吉爾伯特的理論就像一把鑰匙，為往後的電磁研究打開大門，吸引更多人投入電與磁的研究。他是歷史上系統化研究磁力的第一人，被科學界奉為「電磁學之父」，一點也不為過。

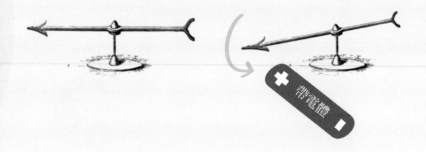

吉爾伯特發明了歷史上第一個驗電器。用摩擦過的物體靠向上圖的指針時，如果物體帶電，針就會轉動。

電學的發展起頭難

說到這，別以為電的研究就大門敞開、從此一飛衝天。事實上，電的研究比磁慢上好幾百年。因為磁石很穩定，可以拿在手上研究還會持續發出磁力；但是摩擦琥珀產生的靜電卻非常微弱，無法收集，也很難拿來研究。一直到1663年，德國人奧托・馮・格里克（Otto von Guericke），發明「摩擦起電機」以後（請見下冊第11課），關於電的科學研究才邁開腳步，緩慢的起步走。

格里克把硫磺粉碎、熔化，灌進玻璃球，中間插一根木棒作為轉軸，等硫磺冷卻後，再把玻璃敲掉，成為一顆「硫磺球」。當硫磺球快速轉動時，只要用布或手摩擦它，就能產生電的火花。

格里克

硫磺球

奧托・馮・格里克
1602～1686
德國物理學家

　　至於吉爾伯特，他在1600年發表了論文，當上女王的御醫，領著豐厚薪金，過著名利雙收的生活。雖然他也在文章裡贊成哥白尼的日心說；但是當時的英國早就和羅馬教廷鬧翻，自己成立「英國國教」；英國國教比起羅馬的天主教廷開明許多，所以英國的科學家不用擔心宗教審判；伽利略形容吉爾伯特「偉大到令人嫉妒」，但比起被教會審判與軟禁，吉爾伯特自由自在的研究生涯，才是更令伽利略羨慕加嫉妒的吧。

快問快答

1 天然的磁石長什麼樣子？在野外要到哪裡才能撿到天然磁石？

哇，
找到了！

天然磁石就是磁鐵礦，含四氧化三鐵，外形通常呈現黑或灰黑色，而且帶點金屬光澤。由於天然磁石的重量較重，所以被沖刷出土時容易堆積在河床或海邊沙灘上。在臺灣北部、西部海岸的海砂，和花東的河砂裡，都不難找到磁鐵礦；只要簡單帶個磁鐵就可去採集，因為磁鐵會吸住磁鐵礦，幫你輕鬆找到它們。

2 吉爾伯特說：「地球是個大磁石」。為什麼地球會有磁場呢？

以前有個理論認為，地球內部的「地核」是由鐵和鎳所阻成，所以像個大磁鐵，不斷發出磁場。但後來科學家覺得地核的溫度太高，不太可能形成永久磁鐵；所以目前廣泛被接受的理論是：地球的外地核是液態的鐵和鎳，這些液態金屬跟著地球自轉流動，因而產生電流，然後電流又感應產生磁場（電生磁的現象，請看下冊第15課），就像個天然的「發磁機」。

LIS影音頻道 ▶

【自然系列─物理｜電磁學01】（電與磁的發現）御前科學對決
英國皇室御醫「吉爾伯特」發現摩擦後的琥珀，吸引東西的表現和「磁鐵的磁力」很不一樣，因此提出了另一種吸引力──「靜電力」的概念。

第 6 課

真空與大氣壓力
托里切利 & 帕斯卡

歷史像一條幽幽的河，慢慢的流向十七世紀。但是，物理學家們與亞里斯多德的對決還沒有結束。教會對於科學的箝制已經漸漸鬆開力道，但是教會向大眾灌輸的亞里斯多德學說，畢竟已經盤桓歐洲好幾個世紀，人心一時之間難以改變，科學家們必須提出更有說服力的理論與實驗，才能扳倒教會與亞里斯多德的論點。

嗚，怎麼又是我？

別傷心，
您還是很偉大的啦！

亞里斯多德

真空存在嗎？

這一次的物理對決，主題是：「世界上到底有沒有『真空』？」；帥氣的男主角則是大科學家伽利略的學生──埃萬傑利斯塔·托里切利（Evangelista Torricelli）。從今天的角度看來，抽真空、真空管、食品真空包裝……真空的應用處處可見，人們早已習慣真空存在的事實。但是在遙遠的古代，「真空」存不存在，就是一個吵了幾千年也還沒有定論的議題。

古希臘哲學家們就經常爭論：世界上到底有沒有真空？生活在義大利南部希臘流亡者之城愛利亞的巴門尼德就認為：

真空不存在。

世界是一個均勻、
永恆、不可分割、形狀
為球形的「一」。

巴門尼德

515BC～445 BC

古希臘哲學家

但是，主張「原子論」的德謨克利特（Democritus）可不這麼想。他認為——

呵呵，世界是「多」，不是「一」。

世界是由不連續的原子和虛空組成。所以真空是必然存在的喔。

德謨克利特
460BC～370BC
古希臘哲學家

很顯然，德謨克利特的原子論比較貼近現代科學。但是對兩千多年前的古人來說，原子看不見、摸不著，原子論太抽象，更別說「真空」了！所以，支持原子論和真空存在的聲量，明顯比支持真空不存在的聲量小很多。

被中世紀教會奉為聖賢的亞里斯多德，也認為**「真空不存在」**。記得嗎？我們在第一課有提到，他主張當人們用手朝空中丟出石塊時，被石塊劃破的空氣，會不斷的反過來繞回石塊的後方，推動石塊；而「真空」中沒有任何空氣可以推動物體在其中運動，所以「真空」怎麼可能存在呢？

空氣

他的論點被歸納成一句簡單扼要的名言：**「萬物厭惡真空」**（horror vacui 或 nature abhors a vacuum.），意思就是在任何空間只要出現空隙，其他物質會立刻填補進來佔據這個空缺。

隨著亞里斯多德誤打誤撞成為中世紀的學術權威，這句「萬物厭惡真空」也統治人們的思想一千多年；所以即便到了十七世紀，人們還是不相信大自然有真空存在，直到托里切利出現。請看托里切利與「抽水機」鬥智的故事。

萬物厭惡
真空……嗎？

埃萬傑利斯塔·托里切利
1608～1647
義大利數學家、物理學家

托里切利，
我看不見。

沒關係，
我來照顧你。

伽利略

托里切利是伽利略最後的門生。1608年，剛進入十七世紀的第九年，托里切利在義大利羅馬出生。他的父親是一位紡織工人，因為家境貧窮，無法讓有天分的托里切利得到良好教育，只好把托里切利送回家鄉法恩扎，讓擔任修士的叔叔養大。叔叔很重視托里切利的教育，托里切利也的確在慢慢成長後顯露數學、物理學的長才；他寫了一本運動力學的書，受到大科學家伽利略賞識；伽利略邀他到佛羅倫斯，在伽利略過世前一直陪在伽利略的身邊。

從十六世紀開始，「抽水機」的使用在歐洲非常普遍。許多貴族建造城堡、噴水池或是挖礦，都會需要抽水機。尤其是挖礦，如果一不小心挖到地下水層，礦坑裡積了水，不但可能淹死礦工，也會毀掉好不容易找到的礦脈。所以抽水機是當時非常重要的必需品；有好的抽水機才能讓一切順利進行。

十六、十七世紀的抽水機很簡單，
就像現代的「針筒」一樣。

當時抽水機構造非常簡單，而且抽水高度無法超過十公尺；所以礦坑裡要用好幾個抽水機，分段把水抽到地面。圖為十六世紀冶礦家格奧爾格‧阿格里科拉（Georgius Agricola, 1494-1555）書中的插圖。

按照當時最流行的亞里斯多德觀點「萬物厭惡真空」，抽水機之所以能抽水，是因為活塞向上抽動時所留下的空隙，會被「討厭」真空的水馬上填滿。但久而久之，人們發現一件怪事：再怎麼精良的抽水機，也無法把水抽高超過33英呎（相當於10公尺；以下皆以10公尺表示）。

　　「難道高度一超過，大自然就不再厭惡真空了嗎？」

　　「這跟亞里斯多德的觀點不合，究竟是為什麼呢？」

　　托斯卡尼大公爵在興建城堡時，也遇到了同樣的困擾。他的工程技師跑去請教伽利略：「為什麼超過10公尺，抽水機就莫名其妙抽不到水了呢？」

　　伽利略思考了這個問題，也跟托里切利進行討論。他們想到：「萬物討厭真空」或許是對的，但是並不是完全沒有限制。很有可能是空氣的重量，把水壓進管子裡變成水柱，但是為什麼水柱達到一個高度以後就會崩潰呢？空氣的重量，到底對水造成多大的空氣壓力呢？

大氣壓力

　　當時已經又老又盲的伽利略，還來不及多做一點研究和實驗，就過世了。伽利略過世以後，托里切利繼承了他宮廷數學家的職位，也繼承了這個未解的難題。

　　托里切利決定從實驗裡尋找蛛絲馬跡，但眼前很快就出現挑戰：

「為了做實驗，我得要挖一個10公尺高的坑？或造一部10公尺長的抽水機？」托里切利想，「媽呀，工程未免太浩大了！」

所以他決定拿比水「重」的液體來試試，或許設備長度就不需要那麼長。他用蜂蜜、海水裝滿幾個不同長度的玻璃試管，然後將試管倒立在裝有這些液體的盆中，看看空氣重量造成的壓力，可以頂住多高的液體。

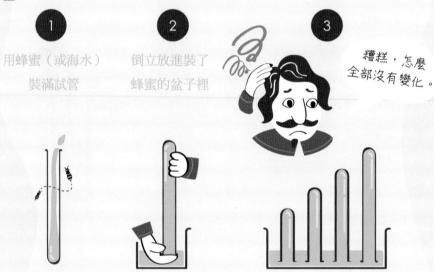

1 用蜂蜜（或海水）裝滿試管

2 倒立放進裝了蜂蜜的盆子裡

3 糟糕，怎麼全部沒有變化。

「可能蜂蜜、海水還是太『輕』，我找『水銀』來試試好了。」

「水銀」是當時人們所知最重的液體，同樣體積的水銀比水重13到14倍；托里切利的如意算盤是，如果用水銀取代水，10公尺的長度可能變為不到1公尺，準備1公尺長的玻璃管應該就綽綽有餘。

所以他製作了一支1公尺長的玻璃試管，裡面裝滿水銀，倒立在裝滿水銀的盆子裡。

「管子裡的水銀果然下降了！」托里切利興奮的大喊。水銀一路降到76公分高的位置才停住，不再往下流。

「哈，老師和我的想法是對的！所謂『厭惡真空』」的力不是別的，就是空氣的重量！只是空氣的重量有限，所以能頂住的液體高度也有限度。這就是為什麼，抽水機沒辦法把水抽高10公尺以上，超過10公尺的水柱，空氣壓力是頂不住的！」

托里切利對眼前的結果，感到雀躍不已。

「可是……」他的腦海馬上出現另一個問題，「這一小截裡面是什麼？」他用手指著水銀下降後，在試管裡留下的一小段空隙。

「水銀從試管的底部流出去以後，空出來的那一段裡什麼都沒有，是真空沒錯！真空並非不存在，亞里斯多德的理論是錯的！」經過思考後，他斬釘截鐵的做出結論。

這就是名留千古的「托里切利實驗」。而試管頂部的那一小段真空，被後人叫做「托里切利真空」。

不管在當時，「萬物厭惡真空」的聲量再大、再權威，但事實勝於雄辯；即使試管裡被造出的真空只有那麼一點點，沿用世間千百年的錯誤理論立即粉碎。

是真空!

真空

大氣壓力

大氣壓力

布萊斯・帕斯卡

1623～1662

法國物理學家

很快的，這個重大消息向外傳播開來，引起一位法國年輕人布萊斯・帕斯卡（Blaise Pascal）很大的興趣。帕斯卡用紅酒重複了托里切利的實驗，得到一段真空；他想，如果頂住水銀柱的真的是空氣的壓力，那麼在空氣稀薄的高山上，會發生什麼狀況？答案應該是：空氣的重量比較輕，所以水銀柱的高度會下降！

帕斯卡很想登上法國中部的多姆山（Puy de Dôme）驗證自己的想法。可惜他從小身體不好，只能好說歹說，說服姊夫弗洛杭・佩希耶（Florin Périer）代替他上山做實驗。還好，姊夫答應了；佩希耶帶著幾個助手，先在山下的修道院測量一次水銀柱的高度，高度顯示66.8公分；然後費力的帶著1.3公尺長的玻璃管和7公斤重的水銀，爬上1000公尺的多姆山，在山上各處重複做了五次，每次都發現水銀柱只剩58.8公分，足足比山下減少了8公分！

這強而有力的證據再度證明托里切利的想法是對的！的確是空氣重量造成的大氣壓力把管子裡的水柱或水銀柱往上頂！而且在不同的天氣或高度下，大氣壓力是不一樣的！

可惜的是，天才的帕斯卡和托里切利一樣英年早逝，都只活了39歲。而到今日，為了紀念他們，計算大氣壓力時常用的國際單位都取自他們名字，叫做「托」（torr）和「帕」（Pa）。

馬德堡半球實驗讓大眾「感受」大氣壓力

　　玻璃管裡的水銀高度和一小段真空，對科學家來說，是一個非常震撼的畫面；但是，對於一般不懂科學的社會大眾來說，恐怕就很難留下深刻的印象。

　　所以在西元1654年，為了顯示大氣壓力的威力，德國馬德堡市（Magdeburg）的市長奧托‧馮‧格里克（Otto von Guericke）——沒錯，就是上一課提到發明摩擦起電機的那一位——當著德國的皇帝與國會議員的面，公開進行著名的「馬德堡半球實驗」。他訂做了兩個直徑大約37公分的銅製「半球」；把兩個半球對接密合在一起，然後用唧筒抽光裡面的空氣，讓整顆球變為「真空」。接著好戲登場，格里克派人在兩個半球的扣環上，各栓一匹高大的馬，一匹往東、一匹往西，拉開兩個半球；但是拉了半天，半球還是沒有動靜！格里克派人把馬的數目往上加，2匹、4匹、6匹……最後如下圖，數數看，是幾匹馬呢？——

馬德堡半球的實驗圖

沒錯！一直加到16匹，半球才「啵」一聲突然爆裂開來！可憐的馬兒和馬伕，摔得人仰馬翻，引發眾人哈哈大笑。

　　但奇怪的是，當格里克再度把兩個半球密合起來，不抽光裡面的空氣；竟然只用兩手就輕易拉開兩個半球！這代表什麼？這代表壓住兩個半球的大氣壓力，相當於16匹馬的力量。這個安排巧妙的戲劇化實驗，終於讓一般大眾瞭解大氣壓力的威力，而大氣壓力的無形力量也在人類歷史上第一次大顯神威。

馬德堡半球的另一種實驗。藉著大氣壓力的威力，抽光空氣的半球可以撐載許多砝碼的重量，而不被拉開。

　　如今我們知道，原來大氣壓力無所不在。地表上每一平方公分的面積，就承受著一公斤重的大氣。如果半球裡面的空氣沒抽走，內外的大氣壓力互相抵消，不費吹灰之力就可以用手拉開；但如果抽光球裡的空氣？就只剩半球外側緊緊的被空氣壓著，整個球面承受的力量超過六千公斤！難怪足足要派出16匹馬，才能勉強拉開兩個半球了！

快問快答

1 原來地面上的大氣壓力這麼大！每一平方公方的面積就承受大約一公斤重的大氣。這種大氣壓力是怎麼來的呢？

很簡單，大氣壓力就是空氣分子的重量造成的！雖然空氣感覺很輕，但別忘了，大氣層的厚度超過一千公里！這厚厚的空氣全部累加起來，壓在我們身上，說是每個人都頂著「百斤的重擔」一點也不為過！

還好，人的骨骼、肌肉，天生就具有抵抗大氣壓力的強度，所以我們平常對大氣壓力沒什麼感覺。除非是到大氣壓力較小的高山或高空，才會觀察到空氣壓力不同造成的差別：從平地帶上山的零食包，會因大氣壓力變小而變得鼓鼓的；爬山、坐飛機時，耳朵也會因氣壓改變而覺得「塞塞的」，甚至耳朵痛。

零食變大包了！好棒！

噗，裡面的零食又沒變多。

2 氣象報告中常提到太平洋「高壓」或熱帶「低壓」一類的名詞，這和大氣壓力有關嗎？

氣象報告中的高壓、低壓，指的就是大氣壓力的高或低！這是因為空氣「熱脹冷縮」：當空氣遇冷收縮，密度就增大，重量加重，使氣壓升高；相反的，空氣受熱膨脹，密度變小，重量減輕，氣壓就

降低。所以氣壓遇冷會變高、遇熱會變低；而且空氣會從高壓往低壓處流。因此臺灣在冬天時若遇上「大陸冷高壓南下」，就表示天氣即將變冷了。

3 據說，吸盤式的掛勾是利用「大氣壓力」的原理。生活上還有哪些應用到大氣壓力的例子呢？

為了避免在牆上打洞，人們發明吸盤狀的橡膠掛勾來代替釘子：只要把吸盤裡的空氣擠光，大氣壓力就會使吸盤緊貼牆壁。我們用吸管喝水，也是靠大氣壓力幫忙：只要輕輕吸走吸管內的一點液體，大氣壓力就會把杯內液體「壓」進吸管和我們口中；如果是在幾乎真空的月球上，沒有大氣壓力，想用吸管喝水就難了！

LIS影音頻道 ▶

【自然系列—物理丨氣壓】

（大氣壓力）藏在幫浦裡的OO（上）（下）

真空實驗是怎麼開始的呢？托里切利傳承了伽利略的科學求證精神，他察覺到了空氣是物質，而且具重量，也就是現在人們說的大氣壓力。但為什麼井太深，水就抽不上來？托里切利又是如何測量大氣壓力？

第 子 課

反射與折射定律
司乃耳 & 笛卡兒

光 的反射與折射，在人類歷史上老早就被觀察到了。每天每天，人從鏡面中看見自己、在靜止水面發現倒影、從岸上笑水中的人腿變短……種種奇妙的視覺異象，都不斷激發人們對光線一探究竟的好奇心。所以在西元前五世紀左右，探討反射現象相關的記載，就已經在人類歷史上出現。

啊！
有一封情書

不是我寫的。

反射

折射

墨子是反射研究先驅

墨子
約470BC～391BC
戰國時代思想家

那是來自古老的中國，春秋戰國時代。思想家墨子的門徒們在《墨經》中寫到，偉大的墨老師（或「翟」老師，墨子的真實姓名可能為「墨翟」或「翟烏」）曾經教導：

景迎日，說在轉。

景，日之光反燭人，即景在日與人之間。

這樣你懂了嗎？

鏡子反射光線再照到人，被人遮住、光線照不到的部分（影子）就會落在太陽跟人之間。

大銅鏡

呵呵，兩千多年前的古文需要一點「翻譯」對嗎？簡單講，「景」就是影子的意思；「景迎日，說在轉。」是代表「影子落在人與太陽之間，因為光線轉了方向」，但是光線為什麼轉方向呢？下一句做了解釋：「景，日之光反燭人，即景在日與人之間。」因為光照到人身後的鏡子再反彈到人身上，所以影子朝向太陽，介於人和太陽之間。

瞧，這說的不就是「反射」現象嗎？

可惜的是，當時的中國沒有「幾何學」，墨子並沒有明確提出入射角或反射角的研究或說法。換句話說，墨子「觀察」到了反射現象，但是沒有用嚴謹、定量的方式描述它，只是「發現了反射現象」，並不算是「提出反射定律」。

反倒在大約半世紀後，熱愛幾何學的古希臘自然哲學家柏拉圖，在教學生光的直線傳播時，就已經提到：**「光線照耀時，入射角等於反射角」**，明確定義了光線反射的路線和角度。可見，光的反射定律出現得很早，至少在西元前四到三世紀就被確立了。

痴痴等待被發現的折射定律

那麼折射定律呢？也跟反射定律一樣很早就被確立了嗎？答案是：否。

折射現象的發現也很早，但折射定律的確立卻比反射足足晚了兩、千、年！為什麼？原因可能是，光線反射是發生在同種介質裡（例如空氣），情況相對單純；但是折射是光線歷經兩種不同的介質（例如從空氣照入水），差了那麼一點，複雜程度就高出許多；以致於人們要花很多時間，去探討光線在不同環境中會產生什麼變化。

　　好吧，既然如此，我們就順著時間，尋找折射定律發展的軌跡。

　　在西方歷史上，最早清楚描述折射現象的，可能是活躍於西元二世紀的天文學家克勞狄烏斯·托勒密（Claudius Ptolemy）。托勒密何許人也？就是那位與埃及托勒密王同名，在古代的繪畫中不時被畫上皇冠；又提出「地心說」，被中世紀教會奉為教條的天文學家，後來被哥白尼的「日心說」推翻。

克勞狄烏斯·托勒密
100～170
羅馬埃及行省天文學家

搞錯啦～
快把找頭上的
皇冠拿掉！

　　托勒密可能是世界上第一個有系統的研究折射現象的人，經過一系列的實驗，他提出：**「折射角與入射角成正比」**。意思是入射角越大，折射角就越大，而且入射角與折射角的大小呈現一個固定比例。

　　這個結論並不正確，卻也沒有其他更具說服力的理論了！在往後的一千五百年裡，歐洲學術圈的折射研究，就從托勒密的這個錯誤理論出發。後續雖然有少數人得出比較正確的結論，但莫名其妙的，不是沒有公開發表，就是被忽略過去。

伊本·夏爾
阿拉伯物理學家

托馬斯·哈里奧特
英國天文學家

威理博·司乃耳
荷蘭物理學家

984 年
我最先正確描述折射定律，
但沒人注意到我的研究結果。

1602 年
我發現了折射定律，
但沒有公開發表，
只寫在與朋友的通信中。

1621 年
我推導出折射定律公式，
但只寫在手稿中，沒有發表。

真是太不剛好了。

「折射定律」這個娃娃像是超級「難產兒」；直到進入十七世紀，才終於誕生。只是命運多舛的它，面世時還硬要鬧個「雙胞案」，讓世人隔了許久才終於確認它的真實面貌。

笛卡兒的三個夢

我思，故我在。

笛卡兒是近代科學的一代巨匠，有「近代哲學之父」、「解析幾何之父」的美名，集數學、科學與哲學的天賦於一身。但是說來你可能不信，從小染上肺結核的笛卡兒養成賴床的習慣，喜歡躺在床上看書和思考問題，而且沒有正當職業，常常「窩在被窩研究學問」，睡到太陽都晒屁股了才甘願起床。

好羨慕喔。

勒內·笛卡兒
1596～1650
法國哲學家、數學家、物理學家

他的母親很早就過世，另組家庭的父親把他託給外婆教養。雖然父子倆很少見面，但爸爸還是一直資助他，希望從小體弱多病的他，至少能受到良好教育。所以笛卡兒雖然在「隔代教養」的環境中長大，卻有很大的揮灑空間，可以追求興趣而不用擔心經濟問題。

1604年到1612年間，他在拉弗萊什的耶穌會裡讀書，1616年畢業於普瓦捷大學的法律系。但是拿到法律學位以後，對自己要從事什麼行業卻三心二意。後來，愛賴床又喜歡晚起的他竟然決定從軍，幾年後才在荷蘭定居下來，開始建構自己的理論並且專心寫作。

　　據說就是在軍隊裡，年輕的軍官笛卡兒做了三個奇怪的夢，影響了他往後的人生志向。時間是西元1619年11月10日，地點在德國的紐因堡，笛卡兒獨自一人睡在寢室，他夢到：

夢境一：狂風大作，笛卡兒舉步維艱的走向校園的教堂。

夢境二：夢中夢。在聽到一聲巨響後，笛卡兒在夢中驚醒，看見四周都是火花。

夢境三：桌上有兩本書，他發現一本是字典，另一本是詩集。

　　要是你，做完這三個夢會立志這輩子要做什麼事嗎？可能就是伸懶腰、下床，頂多決定去蹲廁所再上床繼續睡吧。但是，笛卡兒可是愛好思考的哲學家！傳說他在半睡半醒間就開始解析夢境，認為那本字典代表科學，詩集代表哲學，而這一切讓他思索到「解開自然真相的鑰匙」！雖然笛卡兒從來沒有明講鑰匙是什麼，但根據後人研究歷史判斷，那把鑰匙很可能就是「科學方法」！因為接下來幾年，笛卡兒不斷在思考上下功夫，探討人類該用什麼方法研究科學。

我怎麼看不出來這夢跟科學方法有關係？

1637年，他終於寫成了《談談方法》這本書，有點像是研究科學的武功祕笈，簡單扼要的提出四個重點：

絕不輕信任何事物為真。除非能夠排除一切疑慮，才能做出判斷。

遇上難題時，盡可能將問題分割成幾個簡單的部分來處理。

思考時，必須從最簡單的部分切入，然後順序漸進。

對研究的每個環節都要時時澈底檢查，確保沒有疏忽和遺漏。

為了示範這些方法如何實際應用在科學研究中，書中附上三個附錄當做範例——包括《屈光學》、《氣象》以及《幾何學》。而在附錄一的《屈光學》裡，難產兩千年的折射定律終於出現新進展。

在書中，笛卡兒畫了一張圖，把光比喻成一顆「球」。

圖中的CBE不是地面，而是塊又薄又脆的布；笛卡兒利用球被擊向B點、穿過布以後的方向做解釋，計算出一個結論，轉化成我們今日常用的公式表示就是：

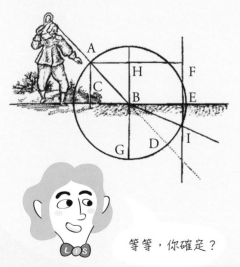

賓果！
這就是我們
學的折射定律！

等等，你確定？

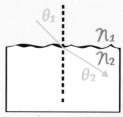

$$n_2 \sin\theta_1 = n_1 \sin\theta_2$$

可喜可賀！經過這麼多年，光的折射終於有精確的數學式子可以計算了！這在當時社會可謂大功一件。十七世紀的天文觀測已經進步許多，需要計算星光受到大氣折射的影響，而改良複雜的望遠鏡、顯微鏡也得應用更精密的光學設計。這時出現可計算的折射定律，不但可算出行星間具體的距離和位置，也能幫助製造商生產更優良的光學儀器。折射定律符合時代的需要，是大家夢寐以求的計算工具。所以，破解折射之謎的笛卡兒成了「法國之光」，他的折射定律被稱為「笛卡兒定律」，笛卡兒旋風從法國向四面八方吹開，幾何光學如虎添翼，準備振翅高飛，躍向未知的領域。

費馬提出相反假設

咳咳，笛卡兒的夢說完了，不過折射定律這娃娃的坎坷身世還沒有完。雖然《屈光學》一出即享盡榮光，但笛卡兒去世後就有人跳出來反駁他的定律。這個人就是被笛卡兒視為眼中釘、打壓多年的業餘數學家皮埃爾‧德‧費馬（Pierre de Fermat）。身為律師的費馬仔細研究了笛卡兒的理論，他覺得笛卡兒的假設根本是錯的！而用錯誤的假設，怎麼可能推導出正確的結論？

笛卡兒認為「光速在『密』的介質裡比『疏』的介質中快」，簡單的以空氣和水做比方，就是「光速在水裡比空氣中快」；這件事聽起來很沒道理。因為既然笛卡兒認為光是像一顆一顆的「球」，球丟進「水」裡阻力應該比「空氣」中大，速度應該變慢才對！怎麼會是變快呢？

所以費馬在工作之餘，用和笛卡兒相反的假設──「光線在水中比空氣中慢」尋找正確推導方式，結果在1661年成功導出他心目中正確的式子：

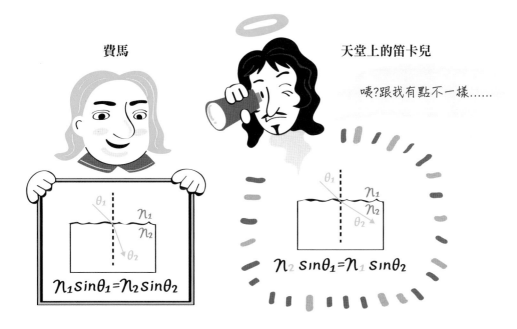

費馬

天堂上的笛卡兒

唉?跟我有點不一樣……

$$n_1 \sin\theta_1 = n_2 \sin\theta_2$$

$$n_2 \sin\theta_1 = n_1 \sin\theta_2$$

　　所以，這下笛卡兒定律是否該改成費馬定律？等等！這年笛卡兒雖然早已不在人世，但偉大的笛卡兒可是擁有廣大的「笛粉」，拚了命擁護他的學說。就連地位崇高的科學家牛頓都贊成他的版本，認為「光在水中會比空氣中快，因為比較稠密的物質會拉著光粒子加速前進」。最簡單的裁判方法，就是實際測出光在水中和空氣中的速度；如果水快，笛卡兒就是正確的；如果空氣快，費馬就是正確的。只可惜當時還沒有測量光速的技術，沒人能用實驗結果叫對方閉嘴，而且沒想到好戲還在後頭……

手稿加持和實驗證明

　　隔年，荷蘭有一位喜歡收集研究手稿的學者福修斯（Isaac Vossius, 1618-1689），發現出自荷蘭學者威理博‧司乃耳（Willebrord Snellius）的手稿，他在1621年的手稿上，也就是比笛卡兒早十五年的時候，就已經用圓柱玻璃做實驗，推導出折射定律，而且他的結論與費馬相同；不過，司乃耳早在1626年過世，生前只把實驗結果寫在自己的本子上，沒有公諸於世。（沒錯，就是P106提到的「太不剛好」的研究者）

威理博 · 司乃耳
1580～1626
荷蘭天文學家、數學家、物理學家

$$n_1\sin\theta_1 = n_2\sin\theta_2$$

多一票，你輸了！

不是票多就贏吧！

這下究竟是笛卡兒對？或者司乃耳和費馬才是對的？最終的裁判，在兩百年後才遲遲到來。1850年，因為偏頭痛而從醫科改唸物理的阿曼德 · 伊波利特 · 路易 · 菲左（Armand Hippolyte Louis Fizeau），加上因為暈血症也從醫科改唸物理的尚 · 伯納 · 里昂 · 傅科（Jean Bernard Léon Foucault），這對難兄難弟用非常聰明的方式測出「**光速在水中比空氣中慢了25%**」（請見下冊第19課）！這讓費馬和司乃耳取得最後勝利，$n_1\sin\theta_1 = n_2\sin\theta_2$ 才是正確的折射定律！

曲折離奇的結果讓司乃耳在物理學的發展歷史留名；直至今日，幾乎在所有英語系的國家裡，折射定律都被稱為「司乃耳定律」；只有在法國才被稱為「笛卡兒定律」或「司乃耳—笛卡兒定律」。沒辦法，因為笛卡兒是法國之光嘛～

以為這樣物理就會變強嗎？還是認真聽課比較實在！

但不管最後的榮光歸於誰，從反射定律和折射定律的確立算起，光學終於成為一門真正的學科，有了這扎實的踏腳石做為基礎，現代的「幾何光學」開始起飛。

我偏頭痛！

我暈血症～

傅科

菲左

快問快答

1 文中提到了折射定律公式 $n_1 sin\theta_1 = n_2 sin\theta_2$　n_1、n_2代表什麼呢？

n_1代表介質1的折射率，n_2代表介質2的折射率。而折射率等於「光在真空中的速度」與「光在介質中的速度」的比。比方說，水的折射率是1.33；那就表示光在真空中的速度是在水中速度的1.33倍。

2 折射定律的公式好難喔！可不可以不要背公式，直接理解折射的現象呢？

你可以把前進的光波，想像成一個班級排成以下的隊伍往前走。每一橫排都代表一道波。

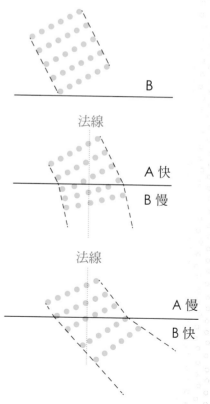

如果規定，從A區走進B區的人速度就要減慢，那麼前排的左邊會先進入B區，比其他人先放慢速度，以致於接下來整個隊伍的行進方向會向左邊偏轉。這就相當於波從速度快的介質進入速度慢的介質時，角度會偏向垂直介面的線（即「法線」）。

相反的，如果規定從A區走進B區的人速度要加快，那麼前排左邊會先進入B區，並加快速度，使得隊伍的行進方向會向右邊偏轉。這就是從速度慢的介質進入速度快的介質時，角度會遠離法線的現象。

根據這樣的現象，前人利用數學方式，經過複雜的計算過程，最後導出一個簡潔的公式 $n_1 sin\theta_1 = n_2 sin\theta_2$ 如果你想要計算波改變的角度，代入這個公式計算是最簡單的。既然前人已經幫你省去了無比複雜的計算過程，把它記起來也是不錯的，不是嗎？

3 我在光的折射實驗中，把筷子斜插入水裡時，筷子看起來像折斷了；但是垂直插進水裡卻不會這樣！為什麼呢？

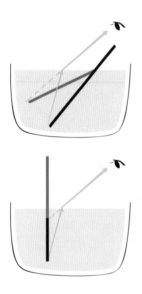

我們來做圖說明吧！上圖是斜插的筷子，偏折後的光線（綠線）在進入我們眼睛後，會讓我們看見一個虛像（圖中虛線底端），使筷子看起來像折斷了。下圖是垂直插入的筷子，水下的光線在進入我們的眼睛前，角度還是會偏折，不過虛像落在原來位置的正上方，所以筷子看來沒彎折，只是似乎「變短」了！這也是為什麼每當盆子裝了水後，我們常覺得盆底變淺。

LIS影音頻道 ▶

【自然系列─物理｜光學05】

（光的折射）兄弟倆的勾心鬥角（上）（下）

笛卡兒對光折射的解釋，幫助大家理解了光的行進，但他的論述似乎有些怪怪的地方……就在笛卡兒備受推崇時，有人發現原來司乃耳早在十年前就提出光折射角度的數學式？！

第 8 課

航海、經度與時鐘

惠更斯＆虎克

從　十五世紀開始，歐洲進入「地理大發現」的時代。地理大發現跟物理學的發展，乍聽像是兩碼子事，但其實兩件事可是大有關係！政治、經濟、宗教、人文等各種人類的活動和需求，都會影響科學發展；地理大發現是人類歷史上的大事，當然也不例外。讓我們先仔細看看底下這張地圖……

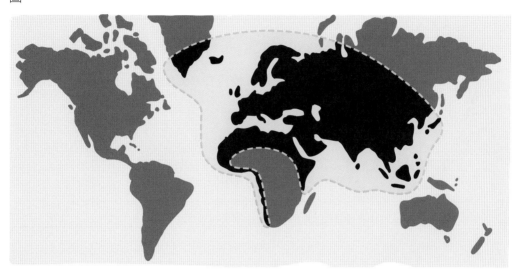

1492 年的「全世界」　　　　　　　　　　　現代的「全世界」

探索未知地 = 探索財富

看到了嗎？比較一下哥倫布在1492年發現新大陸以前，和我們現代的地圖，就會發現當時歐洲人眼中的「全世界」，只是真實世界的一小部分。除了人們從陸地或近海的航行就能到達的歐、亞、北非之外，遠在遼闊大海之外的區域，都是歐洲人還想像不到的的處女地。

所以為了尋找全新的貿易路線、探索遙遠未知的神祕地帶，歐洲的貴族們非常樂於贊助冒險犯難的航海家，投入這場海上冒險。這些冒險雖然危險又昂貴，但也有機會發現巨大的財富；只要誰的航海技術比較發達，誰就能搶佔更多處女地，把新發現的寶物和資源賣回歐洲，賺進大把的銀子，並且贏得眾人的尊敬。

萬事俱備，只欠「時鐘」

？咦，我是這麼說的嗎？

諸葛亮

航海探險定位是關鍵

不過重點是，出海抓寶的船隻如何找到寶地，並且載著寶物平安歸來？船在茫茫大海中如果迷路，下場不是擱淺、觸礁，就是根本找不到陸地——等整船人吃光糧食、因為壞血病而死，變成一艘「幽靈船」在海上漂流，貴族們的投資就等於石沉大海，血本無歸。所以幾個世紀以來，如何幫助船長在大海中定位，一直是迫切需要解決的科學問題。

而事實上到了十七世紀，在海中定出經緯度的方法已經有了，只是「萬事俱備，只欠東風」，缺的就是一個可在海上使用、精準可靠的「海上計時器」。

航海的經緯度推算方法

首先是「緯度」，只要用精密的測角儀器測量正午太陽的高度和傾角，大致上就可以計算出來，所以問題不大。

那麼「經度」呢？經度和「時間」有很密切的關係：地球約每24小時自轉一圈360度，相當於每小時轉動15度；換句話說；經度每往東1度，時間便提早4分鐘。

所以在海上，只要帶著一個精確的時鐘，能顯示主子午線（0度經線）的「標準時間」，航海家就可以利用測量太陽高度，找出海上的正午和標準時間差了多少小時，以此推算出船隻目前所在的經度了。

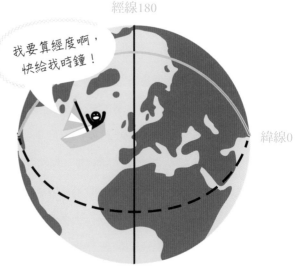

我要算經度啊，快給我時鐘！

經線180

緯線0

經線0

計時器的祖先們

　　但問題就出在這裡：哪裡來的「精準的海上計時器」呢？記得嗎，第四課時我們提到，大物理學家伽利略做實驗的時代，都還在用「脈博」和「水鐘」計時！當時連在陸地使用的鐘錶都還沒誕生，更不用說在搖搖晃晃的海上要準確報時了。

埃及人製作「星鐘圖」，用觀察特定的星星升起，做為計算夜間時間的方式。

古埃及、希臘及中國人，利用太陽的影子長度，計算白天的時間。圖為「日晷」。

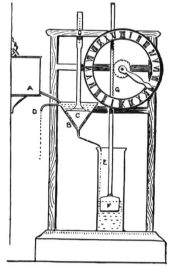

漏壺是水鐘的一種。水以相同的速度流進壺裡，控制報時的刻度。所以不管白天、黑夜都能計時。

貴族催生計時器和虎克定律

　　想像你是一位家財萬貫的歐洲貴族，你會把錢直接投資給航海家到海上盲目的冒險？還是贊助科學家，先發展出可靠的海洋計時器再說？如果是後者，聰明的你並不孤單。當時的確有不少貴族祭出「贊助」、「獎金」或「專利」，吸引科學家發明或改良精準的鐘錶；因此發明計時器，不再只是一件單純的科學活動，而是牽涉到金錢利益，也很容易引起紛爭。

　　接下來要說的，克里斯蒂安·惠更斯（Christiaan　Huygens）與羅伯特·虎克（Robert　Hooke）之間的紛紛擾擾，就是這麼來的。但幸運的是，這一連串不愉快的競爭之下，人類不只順利進入計時的時代，也發現了物理力學彈性理論中最基本的一項定律——虎克定律。

惠虎專利爭奪戰

奇怪，
虎克的臉呢？

等到第十課時
再告訴你。

難道是這樣？

羅伯特·虎克
1635～1703
英國博物學家、發明家、物理學家

羅伯特·虎克充滿幹勁、才華洋溢，是個凡事都喜歡「參一咖」的人。科學史上發展的顯微鏡、細胞、望遠鏡、真空幫浦……他都有份，

但是真正留下他「名字」的，是他提出的「虎克定律」。這個定律如何誕生，要從一串恩怨情仇說起。

在24歲以前，虎克的人生相對單純。他被當時的大科學家波以耳（Robert Boyle，1627－1691）相中，在牛津大學的實驗室裡擔任實驗助理。波以耳非常倚重他，因為虎克雖然沒在學校受過很高的教育，但對機械設計很有天分；他幫波以耳設計一套抽真空的幫浦，並負責操作幫浦、測量空氣體積與壓力的變化。這些實驗催生出後人所稱的**「波以耳定律」**，也就是**「在定量定溫下，氣體的壓力與體積成反比」**。

在實驗結果發表以後，波以耳贏得來自科學界的掌聲與美名，那為他操作實驗的年輕人虎克呢？凡走過必留下痕跡，他的人生還很長，這裡賣個關子，先讓我們繼續看下去。

1660年，在近代科學史佔據重要地位的「英國皇家學會」誕生了。1662年，虎克受邀擔任皇家學會的實驗總監，負責為學會的會員們設計儀器、執行實驗。虎克的生活變得更加忙碌、多元，尤其當他也被選為會員以後，原本只是實驗助手的虎克，漸漸接近科學研究的核心，並開始發揮他對科學的影響力。

有一年，赫赫有名的荷蘭科學家克里斯蒂安・惠更斯帶著他的新發明來到倫敦，引起學會裡科學家們的一陣騷動。

惠更斯帶來的，是他所發明的、號稱史上第一座「擺鐘」。

伽利略利用鐘擺的「等時性」（請見P65），設計出「擺鐘」。不過，他只留下設計圖，並沒有實際做出擺鐘。惠更斯根據伽利略的設計圖，利用一個重錘的重力作為驅動力，並以多個齒輪向單擺施加週期性的衝力，使單擺不會因為空氣摩擦而漸漸變慢。

克里斯蒂安・惠更斯
1629～1695
荷蘭物理學家、數學家、天文學家

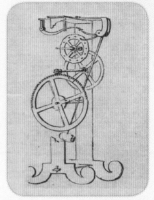

伽利略設計的擺鐘。當時他的眼睛已經全盲，這是由他口述，再由貼身弟子維維亞尼記錄下來。

我幫你改良，實際把它做出來。

喔，謝謝你小惠惠。

伽利略

　　這讓想在航海冒險中獲取經濟利益的海軍和貴族們重新燃起希望。他們想贊助惠更斯的研究計劃，希望他能持續改良，開發出能在海上使用的時鐘。

　　1665年，惠更斯發表了在海上的使用手冊，他的鐘也順利拿到了專利。

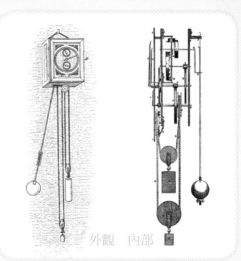

外觀　內部

惠更斯於1656年發明的世界第一座擺鐘。

你沒聽錯，是「專利」！為了獎勵並保護科學家的新發明，十七世紀初的英國已經有了專利制度，來鼓勵人們投入創造與發明。惠更斯與英國皇家學會共享他的專利收入，自然受到學會大大的歡迎；但是虎克看在眼裡，不知道為什麼，總覺得有點不是滋味。很快的，他開始公開批評並反對惠更斯的發明。

　　他說，擺鐘的單擺在陸地上還勉強管用，但是到了海上被風浪隨便一晃，就很容易亂了週期，根本不準！而他自己則老早在1658年就有使用「彈簧」製造計時器的設計。彈簧遠比單擺穩定，而且彈簧伸縮的週期不受搖晃影響，才是製作海上計時器的最佳選擇。

說半天，
你設計的鐘呢？

這是祕密，找到
關鍵時刻才會拿出來。

虎克

聽起來
怪怪的？

惠更斯

　　虎克也請皇家學會幫助他申請專利。當時學會的財務有點困窘，為了分一杯羹，自然樂意幫忙。但或許是皇家學會太貪心，要求虎克只能申請原型的專利權，至於未來的改良版，都得讓出專利收益；這讓虎克很不高興，這樁買賣當然告吹，不了了之。

　　直到七、八年後的1675年，好久不見的惠更斯突然又冒出來，發表他最新發明的「游絲彈簧鐘」，並在皇家學會祕書長的協助下，再度拿到專利！

「氣死我啦～我抗議！」虎克覺得自己被出賣了。「我在皇家學會的專利會議上，早就公開展示彈簧的構想，這專利應該是我的！」「惠更斯剽竊了我的發明，他是個小偷！」

這件事變成一樁國際醜聞。他也責備皇家學會沒有保護他的權利，但是不知道為什麼，皇家學會最後還是站在惠更斯那邊，並指責虎克詆毀了學會的名譽。

憤憤不平的虎克，決定發奮圖強，來個絕地大反攻。雖然輸掉了彈簧鐘的專利權，但至少不要把發現彈性理論的名聲也拱手讓人。這時候，二十年前擔任波以耳助手、協助實驗「波以耳定律」的一段經歷，終於派上用場。

當時，他以「J形管」和水銀進行實驗。J形管的一端是密閉的、內有空氣，另一端則可以倒入水銀。倒入的水銀越多，代表密閉空氣所受到的壓力越大；經過反覆的實驗後他得到一個表：

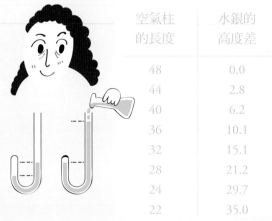

空氣柱的長度	水銀的高度差
48	0.0
44	2.8
40	6.2
36	10.1
32	15.1
28	21.2
24	29.7
22	35.0

波以耳定律：在定量定溫下，氣體的壓力與體積成反比。圖中單位為英吋。

其中，空氣柱的長度比代表的就是氣體的體積比，水銀高度差的比就是氣體壓力比。在年輕的虎克眼裡，這一小截的空氣柱就像「彈簧」一樣，壓力大就縮短、壓力小就伸長……

這個反覆出現在虎克眼前的「空氣彈簧」的現象，很可能啟發了他對「彈性定律」的領悟。當然，他也對真正的彈簧進行實驗，得出了一個結論——**「彈簧的伸長量與受到的外力成正比」**；而且這種彈性的定

律，不只表現在彈簧上，也表現在其他物質比如「氣體」和木頭上。

不過一開始虎克並沒有真正公布他的發現，他在1676年的著作上，搶先把這個結論設計成一段字謎ceiiinosssttuv。直到非常確認定律的正確性以後，才在1678年正式公布字謎的答案——ut tensio sic vis（拉丁文，意思是：**「力如伸長」**），並在書裡詳細說明了彈性和力的關係：

彈簧量的伸長量與受力成正比。
這就是虎克定律。

$$F = -kX$$
（外力）　　　（伸長量）

也就是彈性體的伸長量（或壓縮量）與受力的大小成正比，而且方向相反。這是「虎克定律」，也就是我們現今在物理課本上所學到的「彈性定律」。

未雨綢繆的虎克

虎克在只有彈性定律的構想，還沒有做出確定的結論前，就趕在1676年先提出字謎，他打的如意算盤是：如果構想後來證實有錯，字謎不解開，就不會洩了自己的氣；但如果構想正確，只是惠更斯或其他人早他一步提出彈性理論，他就說：「是我先！已經寫在1676年的字謎裡了，只是沒有公開罷了。」

虎克利用字謎保護自己發現的祕密；可能是一朝被蛇咬，十年怕草繩。不過，偉大的科學家，本來就不等於同時有偉大的胸襟與寬闊的肚量；虎克處處愛與人爭，接下來的他將與一個初出茅蘆的小伙子結怨，且看這位名叫牛頓的年輕人，如何反將虎克一軍，並且長成科學史上的超級大咖。

✏️ 快問快答 ||||||||||||||||||||||||||||||||||||||||||||||||||||||||

 文中提到惠更斯發明了「游絲彈簧鐘」。游絲彈簧是什麼？

游絲彈簧

金屬環

游絲彈簧不像一般的長條狀彈簧，它是螺旋狀的彈簧，通常一端固定在金屬環上。當金屬環受力轉動，游絲彈簧就會跟著受力往反方向轉，並且回過頭也使金屬環轉動，接著這螺旋形的彈簧就會一鬆一緊的來回震盪。游絲彈簧比長條彈簧更不受外力的晃動影響，所以適合用在手錶或是海上計時裝置。游絲彈簧的發明是有爭議的，有可能是虎克首先提出設計構想，但惠更斯才是實際把它製作出來的第一人。

 彈性定律說道：彈性體的伸長量（或壓縮量）與受力大小成正比。但為什麼有些彈簧或橡皮筋用久了，彈性就減弱了？

這個叫做「彈性疲乏」！橡皮筋、彈簧原本在彈性限度內受到外力就會伸展，當外力消失，就恢復原態。但是，如果外力反覆、持續的作用，使它們長時間處於伸展狀態，那麼當外力移去後，就再也沒辦法恢復原來的狀態了！

LIS影音頻道 ▶️

【自然系列—物理 | 彈力】

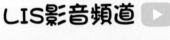
（游絲彈簧的發明與虎克定律）惠虎專利爭奪戰（上）（下）
虎克早早就用密語發表了他對彈簧的觀察，卻被惠更斯搶先用游絲彈簧做出海上計時器。這下虎克可氣壞了！到底惠更斯有沒有偷用虎克的想法？

第 9 課

白光原來是七彩

牛頓

不要打啦～ 可以好好上課嗎？

美麗的彩虹是什麼？北歐人相信，彩虹是人間通往神的住所的橋；希臘神話則認為，彩虹是人與天神溝通的使者，當彩虹的化身伊麗絲（Iris）突然出現，背後就會顯現亮麗的七彩虹光。彩虹為什麼在古代這麼「仙氣」，好像不難推測：因為它形象美麗卻又來去無蹤，古人難以理解，只好編織神話解釋彩虹形成的原因；這種神話一般大眾很容易買單，但是老愛打破砂鍋問到底的那一群自然哲學家們，當然不會輕易相信。

啊，女神～

彩虹是不正常的光？

要是彩虹可以像蘋果或石頭一樣拿在手上，相信科學家們一定老早就細細研究，可惜的是，絢麗的虹光瞬間即逝；所以古代的科學家們只能推想——白光是一種「沒有顏色」的、正常的光；而彩虹呢？雖然耀眼奪目，卻是「不知為何發生變化」、「不正常」的光。

直到十四世紀初，德國修士迪特里希·馮·弗賴貝格（Dietrich von Freiberg；或稱Theodoric of Freiberg，1250－1311）才正式找到了彩虹的成因。他把裝滿水的玻璃瓶當成「放大的水滴」，在陽光中上上下下的移動位置，並透過幾何學，說明彩虹是陽光進入水滴後折射、反射、再折射後所形成的。

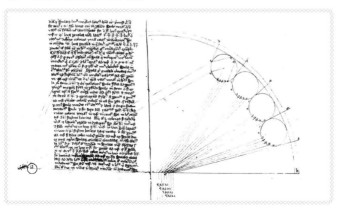

弗賴貝格在手稿上，畫出陽光進入水滴如何形成彩虹的光學現象，被譽為中世紀最大的光學成就。

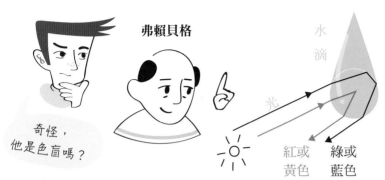

弗賴貝格

奇怪，
他是色盲嗎？

不過至於彩虹的顏色，他認為是光受到不同的「阻礙」所形成的；他把彩虹分成紅、黃、綠、藍四種顏色——

不要亂講啦！

三稜鏡研究與不同的色光解釋

三百多年後，笛卡兒做研究反駁了弗賴貝格的論點。他讓陽光通過三稜鏡（prism，三角柱形的透明體，又稱為稜鏡），然後投射在屏幕上；結果他認為：

笛卡兒

彩光跟光線進入介質的深淺沒有關係，
因為不管光是透過稜鏡的「淺處」或「深處」，
在屏幕上出現的圖像都是一樣的！

只可惜——注意看這個圖，他的屏幕距離稜鏡只有幾公分；所以沒辦法得到色散後的整個彩虹光譜，只能看見光帶的兩側呈現藍色和紅色。

接下來，幾位科學家包括馬爾西（Johannes Marcus Marci）、虎克、波以耳，做出相關的實驗，並提出各自的解釋理論——

色光的產生是因為光受到不同物質的作用；
比方說，紅色是濃縮的光，藍色是被稀釋的光。

約翰尼斯・馬克斯・馬爾西
1595～1667
捷克物理學家、醫生

不同的顏色是光在視網膜上留下的
不同印象。紅和藍是原色，
其他顏色都是紅和藍混合或沖淡而成。

光是許多小粒子。
光粒子撞擊視網膜的速度不同，
就會看到不同的顏色。

羅伯特·虎克

1635～1703

英國博物學家、發明家、
物理學家

羅伯特·波以耳

1627 ～ 1691

愛爾蘭自然哲學家

　　科學界對於光的組成和彩虹現象，一直沒有得到共識。但是這個時代，
正是望遠鏡與顯微鏡問世的時代。人們用望遠鏡觀察天體、用顯微鏡觀察
細胞時，影像的邊緣經常出現雜亂的彩色光影；這種惱人的現象刺激十七
世紀的科學家比幾世紀前的前輩們，更想知道色光出現的原理是什麼。它
和彩虹一不一樣？有沒有辦法可以消除呢？

牛頓解開令人疑惑的色光之謎

　　結果～鏘鏘！有一個剛入行的年輕人解決了這個問題！他發明出不同以
往的新型望遠鏡，不只不會有惱人的色差和光暈，放大倍率還從原來的13
到14倍，直接提升到38倍！

　　這個看起來怪怪的年輕人，名叫艾薩克·牛頓（Isaac Newton）。英
國皇家學會因為這項重大發明，把他選為會員；而當學會進一步寫信問
他，有沒有做過其他實驗時，他在信中說明了以下的光學實驗——

照進暗室的
彩虹光

艾薩克‧牛頓
1643～1727
英國物理學家、數學家

牛頓是大家耳熟能詳的大科學家。但比較少人知道，在他的時代裡，他其實是性格孤僻、舉止怪異，而且有點驕傲自大、不好相處的人。

牛頓的父親，名字也叫艾薩克‧牛頓，在他出生前三個月就過世了；母親則在他三歲時改嫁，牛頓由他外婆撫養，在英格蘭林肯郡的農場伍爾索普長大。

這種童年可能有點孤單，但牛頓也算自得其樂，經常自己拆拆裝裝、製作一些稀奇古怪的機械玩具；有時候是掛著燈籠的風箏，有時候是奇怪的風車磨坊模型——而讓風車不停轉動的，竟然是兩眼無辜、被

線綁住不停亂竄的田鼠。

牛頓這種喜歡動手實驗，驗證
自己想法的喜好一直沒變。他就讀
劍橋大學三一學院時，跟盧卡斯榮
譽數學教席艾薩克・巴羅（Isaac
Barrow）很合得來。牛頓上他的
光學課，還幫忙編講義；而巴羅
把當時最前衛的光學理論介紹給牛
頓，引發牛頓的強烈興趣，讓他很
想自己動手，磨製出沒有色差和光
暈干擾的顯微鏡與望遠鏡。

牛頓是我的愛徒，
受我影響很大喔。

艾薩克・巴羅
1630 ～ 1677
英國數學家、物理
學家、天文學家

　　不過，事情沒有那麼簡單。在閱讀許多前人所做的光學實驗以後，
聰明的牛頓很快發現，如果沒有老老實實的先把光和顏色的本性研究清
楚，要消除顯微鏡裡那些奇怪、惱人的彩色光圈，並不是一件那麼容易
的事情。

　　1665年，倫敦發生大瘟疫；將近五分之一的人口都因為感染鼠疫死
亡，許多學校被迫關閉，就連當時的英王查理二世，也都帶著家人逃離
皇宮到別處避難。於是，大學生牛頓也只好回到家裡的農場待兩年；牛
頓沒有白費這兩年時光，除了積極研究二項式定理、動力學與引力問題
以外，牛頓也繼續他對光學及色彩的興趣，開始研究顏色理論。

　　據說，他拿自己做了一個危險實驗。他把刺針、指甲或銅片，放進
眼皮底下靠近眼窩後方的位置，然後用它的末端擠壓眼球，看看眼球的
形狀被改變以後，會不會出現白、黑或其他不同顏色的光學影像！沒人

知道他的實驗得出什麼結果，但接下來他在床上躺了兩個禮拜，應該一點也不讓人意外吧。

　　兩年時光很快就過去。牛頓大部分的光學實驗，是回到學校後才繼續進行的。1669年，他的恩師巴羅教授辭職，推薦牛頓接下盧卡斯數學教席。牛頓發現，前人的光學實驗都具有一個共同的破綻：他們的稜鏡跟屏幕都距離太

啊，我的眼睛…

近！根本沒有足夠的空間，讓不同顏色的光線完全展開，這樣只能看到「擠」在一起的色光，或勉強在光的兩側觀察到一點紅光和藍光。

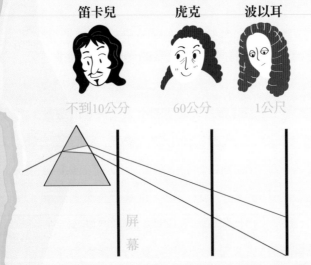

　　「好，我決定了！」他推開擋住窗戶和牆壁之間的各種雜物，「直接讓陽光從窗戶投射到牆上……」「這樣讓距離拉開到六、七公尺，應該非常足夠了吧！」

　　的確，當他讓房間變暗、在窗戶挖出小洞，並把透鏡放在小洞邊時，牆壁的屏幕上清清楚楚的出現一道「光譜」，長度是寬度的五倍，上面有「紅橙黃綠藍靛紫」七種顏色。

　　他小心翼翼的測量距離，計算各種色光的偏折角度，卻發現：

　　「奇怪，好像藍光偏折的角度總是比紅光大？」

於是他在黑紙上畫了一條線opq，一半藍色（op）一半紅色（pq），然後透過稜鏡觀察並轉動稜鏡角度，讓這條線看起來像被往上抬；只見這條線「升高」後，像是被「折斷」一樣，藍線（rs）看起來比紅線（si）更靠近稜鏡的頂端，這代表藍線偏折更多，證明了藍光的折射角度的確比紅光大。

只是很快的，牛頓的腦中又出現一個新的問題。「究竟光線被折射成不同色光，是真的因為折射力不同？還是只是稜鏡裡面有泡泡或不平啊？」「我得再加上幾個稜鏡試試，如果真的是因為稜鏡有泡泡或不平，光線應該會被分得更散，或根本沒有規則才對。」

於是，他在實驗中又加入凸透鏡和另外兩個完全一樣的稜鏡。結果竟然發現：

經過第一個稜鏡分散的色光，經過凸透鏡和第二個稜鏡之後，竟然變回白光！而白光再經過第三個透鏡，又被分解成七種色光！

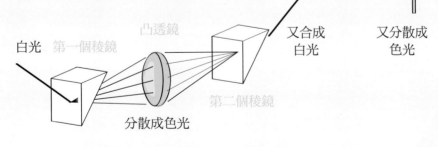

「啊哈！這代表稜鏡根本沒問題！」牛頓興奮的叫了出來。

「白光根本不是『無色』的光線！它是由七彩色光按照適當的比例

混合而成的，白色變彩色，彩色變白色！簡直像在變魔術一樣！」

只是這些色光的本質是什麼？會不會進一步偏折出其他顏色的光線？為此，牛頓設計出一個關鍵實驗（Experimentum crucis）。

他拿一個稜鏡和一片挖了小洞的木板，擋在光線透入的窗戶前，不停旋轉手裡的稜鏡，使得光線穿透四公尺外、另一片木板的小洞時，只剩下單一種色光——例如黃光，然後再讓黃光通過第二個稜鏡，最後打在螢幕上；結果黃光可以再次被折射，但是黃光還是黃光，第二次的折射角度是一樣的，黃光的顏色既沒有改變，也沒有再分解成其他的顏色。

第一個稜鏡　　第一片木板　　　　第二片木板　　第二個稜鏡

牛頓的關鍵實驗

如此一來，牛頓終於弄懂望遠鏡裡那些討厭的彩色光暈是怎麼回事了。過去由伽利略發明的「折射式」望遠鏡，是用一連串的透鏡使光線折射、聚焦而成的；但是光線一經折射，必然會分離出不同的色光；如果不想要出現色差或色光，就不應該使用「折射」，而是利用「反射」取代折射才對！

所以，牛頓打造「反射式」望遠鏡，用凹面鏡使光線反射、聚焦，果然很快的獲得成功，聲名大噪。不可捉摸的光線歷經科學家們千百年的摸索，如今找到關鍵，顏色的奧祕一下子就解開了！

粒子說VS波動說

牛頓的反射式望遠鏡很實用，因此受到眾人歡迎。可惜的是，他的光學實驗跟當時的科學界格格不入。因為「三稜鏡」在當時不少人的心裡，還只是市集裡的小玩意兒，根本不是負責任的科學家應該用來做研究的「科學」儀器。更重要的是，牛頓做完這些稜鏡實驗後，主張光是由不同顏色的「微粒」混合而成的，這種「粒子說」跟當時科學界的重量級人物，像惠更斯、虎克等人所認定的「波動說」剛好相反！所以當牛頓的論文《光與顏色的新理論》一送進皇家學會的時候，老前輩虎克馬上像他自己所研究的「彈簧」一樣，氣呼呼的跳起來反對！

虎克不是指責牛頓偷竊了他的想法，就是跟著學會裡的其他人尖銳的批評牛頓論文裡的各種缺點，像是實驗設計不夠周全、部分實驗無法重現、無法解釋薄膜顏色等等等等……

事實上，受到虎克毒舌攻擊的人用十隻手指都數不完。他對很多問題都有自己的想法，卻未必能每項都深入的鑽研，得出最精確的結果。偏偏牛頓的個性，對於別人的批評特別敏感；所以他決定求個耳根清靜，等到二十幾年後虎克過世，才願意出版自己的光學著作。但在那之前的1678年，這樣的爭執還沒完沒了，牛頓氣得丟開光學，轉而研究力學和天文學；還賭氣到想要自我隔離，從此不再發表任何文章！

還好過沒幾年，牛頓回心轉意，否則記述著牛頓三大運動定律、萬有引力的科學巨著《自然哲學的數學原理》將不會出現在世人面前，這樣一來人類世界對於宇宙萬物如何運轉的理解，不知道會被推遲幾個世紀！真是謝謝牛頓願意回到正軌來啊，呼～

不是才在跟惠更斯吵架嗎？

虎克很忙耶！

光是粒子！

誰說的？光是波動！

牛頓

虎克

牛虎大戰？

① 光的三原色是「紅、藍、綠」，「紅」加「綠」會變成「黃」。但是我用水彩調色，紅加綠卻變成「褐」色！為什麼呢？

嘿嘿，你搞混了喔。「紅、藍、綠」是「光的三原色」，我們人眼可以區分的各種顏色，都可以由這三種色光依不同的亮度混合而成。但是畫畫時是根據「色彩的三原色」，混色效果跟光完全不一樣。而且光的三原色，是越多的色光加起來越亮，屬於「疊加型原色」；色彩的三原色卻是越多顏色加起來越暗，屬於「消減型原色」，以後別再弄錯囉。

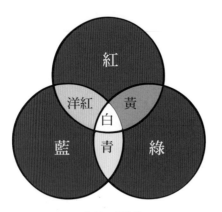

光的三原色

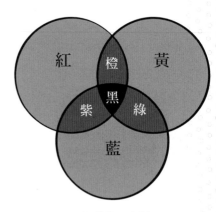

色彩的三原色

LIS影音頻道 ▶

【自然系列─物理∣光學03】

（光的波動說）虎克的逆襲（上）（下）

虎克說：「光就像水波一樣，是一陣一陣的波。」牛頓說：「光應該像砲彈一樣，是一顆一顆的粒子。」權威虎克VS年輕人牛頓，誰的說法才是最正確的呢？

第 10 課

萬有引力與蘋果

牛頓

蘋果蘋果，
快掉下來呀～

很久很久以前，有一個22歲的大男孩，經常坐在蘋果樹下，思考宇宙運行的道理：「為什麼月球繞著地球轉動？」「為什麼萬物總是掉落地上？」為什麼這樣、那樣的，他總是想得很多、很遠。突然有一天，一顆紅透的蘋果「咚」的掉下來，打中他的頭。「啊，我想到了！」他突然叫出聲：「是萬有引力、是萬有引力……」

於是，萬有引力這個宇宙自然的天大祕密，就這樣被這個男孩發現了。這就是大家津津樂道流傳三百多年、據說牛頓發現萬有引力的經過。

聽完這個故事，你可能會覺得牛頓真「天才」，輕輕鬆鬆就發現萬有引力。換作別人被蘋果打中，可能只想到要回家貼OK繃。沒錯，牛頓的確很「天才」，也確實是無與倫比的「物理學巨人」。但如果你以為萬有引力這個祕中之祕真的是蘋果敲出來的，那就是被這個故事誤導太深。

因為就連牛頓自己都說過，若不是「站在巨人的肩膀上」，他自己也未必能看得比一般人更廣、更遠。他所說的「巨人」，就是研究萬有引力和牛頓運動定律的先驅們，包括伽利略、克卜勒、惠更斯等物理學家；牛頓吸收前輩們留下的日月精華，加上自己勤修苦練，才修煉成萬有引力的神功；並不是被天外飛來的蘋果一敲，就突然蹦出萬有引力的理論！

所以讓我們說說萬有引力的真實故事，為中毒太深的各位消毒一下。只是現實人生比較殘酷，真實的故事比蘋果複雜太多；請你拿出耐心聽下去，我們要從天體運行的歷史說起，很久很久以前……

在蘋果砸到頭之前

古人一直想破頭，太陽月亮為何轉動？天上的星星如何運行？宇宙星辰太過神祕，人們只好想像有一位上帝創造出天地，而且定下規矩，安排著

這是十七世紀之前，宇宙模型的演變過程。軌道果然都是正圓形，而且只有五顆行星。

日月星辰都要按照祂的完美旨意，轉動運行。所以天上的一切「理應」都比地面神聖，星球繞行的軌道「一定」是正圓形，因為正圓才是最完美的形狀，象徵神創造的宇宙秩序完美無瑕。

這種根深柢固的宗教思想深深影響人們。就算到了十六、十七世紀，提出「日心說」的哥白尼、大科學家伽利略，在長久的耳濡目染下，也只把當時的力學發現套用在地面世界。至於天界呢？天界依舊「應該」是完美的，所有行星軌道都應該是「正圓形」。

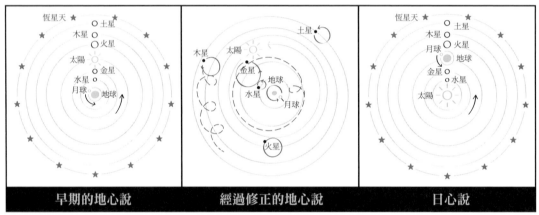

早期的地心說	經過修正的地心說	日心說

笛卡兒的宇宙漩渦模型。每個漩渦的中心都有一顆恆星；行星在漩渦中繞著恆星旋轉，而彗星則沿著漩渦的邊界移動。

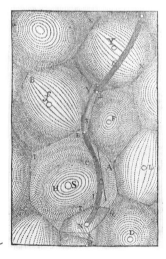

笛卡兒甚至還想出「漩渦理論」，解釋上帝如何使行星繞著恆星不停運轉。他認為，上帝創造宇宙的「原始材料」會分成小塊，然後互相摩擦、形成三類不同的物質，一種是如太陽的恆星，一種是行星、彗星，另一種則是極度微細、看不見的粒子。這些粒子充滿天空，在恆星四周形成「漩渦」，使得恆星附近的行星們，就像浮在河面的草屑一樣不得不跟著漩渦打轉，乖乖繞著恆星轉動。

這樣的理論從現代的眼光來看,雖然有點荒謬,但在當時已經算是一大進步。起碼上帝只是丟進材料,就讓材料自行運作;而不是從頭管到尾,樣樣都要符合神的旨意。而且除了太陽系外,宇宙還有無數星系的見解,也是當時的一大突破。

竟然有橢圓形的行星軌道!

西元1600年,數學狂天文學家克卜勒(Johannes Kepler)來到布拉格,協助當時的天文學權威第谷·布拉赫(Tycho Brahe)整理天文觀測資料。第谷對他的要求是「無論如何一定要尊重數據與事實」。所以他在第谷過世之後,一心一意想要用「數學」客觀的整理出天體運行的宇宙秩序。這位數學高手利用第谷完整的火星資料,不停的整理、歸納和計算,竟然發現:

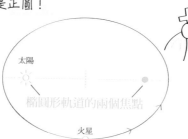

火星的軌道是「橢圓形」啦!不是正圓!

怎麼可能?

這是克卜勒的行星運動定律,高中就會學到喔。

約翰尼斯·克卜勒
1571 ～ 1630
德國天文學家、物理學家

太陽

橢圓形軌道的兩個焦點

火星

克卜勒的行星運動定律在科學世界丟下一個震撼彈,推翻了天體以上帝的正圓形軌道做等速圓周運動的概念;大受鼓舞的科學家因此更想知道:不是上帝,那究竟是什麼力量支配著星球做「橢圓形」運動呢?為什麼行星不會遠離恆星,而是圍繞著恆星乖乖的、不停的旋轉呢?七十年後,牛頓即將揭開這個祕密——

星體之間的吸引力是「磁力」!

不對啦,是萬有引力!

牛頓

牛虎相爭，
第二彈！

牛頓　　　　　　　　　　　　　　　　　　　　　　　虎克

　　前情提要一下，上一課講到在1678年，愛吵架的虎克不是才把牛頓氣得想退出科學界，不再讓任何人與他爭辯嗎？其實不過才到第二年，虎克當上學會的祕書，就忍不住寫信跟牛頓討論起「力學」。畢竟日子總要繼續下去，這樣才能化解兩人之間的疙瘩和尷尬。還好，牛頓也不失禮貌的回信，和虎克一來一回的討論起自己的看法。

　　幾年後，在1684年的一場聚會上，凡事喜歡搶先的虎克，大言不慚的宣布自己發現一個「平方反比定律」，意思是「天體之間的吸引力與其距離的平方成反比」。當時與會的天文學家克里斯多佛·雷恩（Christopher Wren，1632-1723）和愛德蒙·哈雷（Edmond Halley，

1656-1742），希望虎克能提出數學證明，但是疑神疑鬼的虎克又來那套——

「哈哈，我早就已經有證明啦！它能解釋一切天體的運動規律。」

「那你趕快說出來，我們想聽！」

「不不不，這當然要保守祕密。免得我的創新成果又被偷走。」

雷恩不太相信，他故意說：

「既然這樣，誰能在兩個月內提出數學證明，我就賞誰40先令！」

但是虎克不為所動：「隨便你。我倒看看誰有能耐解開，反正我是不會事先公布的。」

就這樣，虎克遲遲不願拿出證明。個性溫和、人緣又好的哈雷，只好跑到劍橋去找牛頓，請教他：「符合平方反比定律的天體運行，軌道應該會是什麼形狀的呢？」

沒想到，牛頓想都沒想就直接回答：「橢圓！」

「厲害！」哈雷很驚喜的讚嘆道。「請問你用數學如何證明？」

「證明嘛……呃，我老早寫在一張紙上，現在可能找不到了。」也不知是真是假，牛頓竟然如此回答。「沒關係，給我三個月，三個月後我一定把數學證明寄給你。」

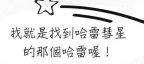

我就是找到哈雷彗星的那個哈雷喔！

愛德蒙・哈雷

1656～1742

英國天文學家、物理學家

據說，哈雷前腳一走，牛頓立刻陷入深度思考，茶不思飯不想，甚至到有點精神恍惚的境界裡。當時他住在三一學院的大門附近，人們經常看到他蓬頭散髮、一臉恍神的四處走動；有時他走路去吃飯，卻莫名其妙走上大街，忘了自己為何出門，只好又走回家。幾個月裡，他全心全意的思考天體運行的力學問題，有時候隨手在校園的沙地上留下「神祕圖形」，同事們心想：「這準是牛頓畫的，這次不知道他又在研究什麼。」然後再小心翼翼的繞道而過，不破壞那些線條和幾何「沙畫」。

靠著這種強力集中的持續思考，三個月後，牛頓果然寫下完美的證明，寄給引頸等待的哈雷。

哈雷看了以後，驚為天人。他對牛頓透澈的分析和數學能力非常激賞，忍不住英雄惜英雄，熱心勸說牛頓把他的理論寫成書，公諸於世、造福世人。於是，在哈雷真誠的鼓勵下，牛頓很快的在兩年後寫出他的曠世巨著──《自然哲學的數學原理》，內容不只揭露平方反比定律的證明，還加碼寫出日後被稱為「牛頓三大運動定律」、「萬有引力」等重要內容，並在哈雷的熱情贊助下，順利在1687年出版。

原來，牛頓對這些內容的研究，早在回家鄉躲瘟疫的那兩年就開始了。

他找出萬有引力的思考脈絡大致是這樣子的：

牛頓的《自然哲學的數學原理》是以拉丁文寫成，後人簡稱為《原理》。

1.「質量」不等於「重量」：

質量就是「物體內所含物質的多寡」，可以用物體的體積和密度計算得出；而「重量」，是受到不同的重力吸引才產生。「質量」不等於「重量」，在計算物質間的引力時，應該使用「質量」。

凡是物質都會發出重力（gravity），所以萬有引力（universal gravitation），就是萬有「重力」的意思。

2.作用力等於反作用力：

牛頓分析前人的碰撞研究，設計出一大一小的單擺碰撞實驗，從運動的量（也就是動量）保持不變的現象中，推導出「作用力與反作用力相等，方向相反」，也就是「牛頓第三運動定律」。

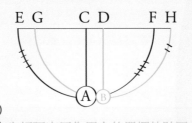

牛頓研究反作用力的單擺軌跡圖

3.平方反比定律：

從克卜勒第三運動定律和向心力公式，可以推導出「星體間的吸引力，與兩者之間的距離平方成反比」，也就是平方反比定律。然後因為「作用力」與「反作用」同時存在，所以互相吸引的兩個物體會繞著彼此共有的中心旋轉。

4.引力真的「萬有」嗎？

牛頓利用觀察到的許多天文現象，證明了幾顆行星與太陽之間、木星土星和它們的衛星之間、地球與月球之間，都符合平方反比定律；所以他推論在一切物體之間，普遍存在著符合平方反比定律的吸引力，也就是「萬有引力」。

以上，綜合1、2、3、4，牛頓得出了今日我們所見到的萬有引力的表現方式：

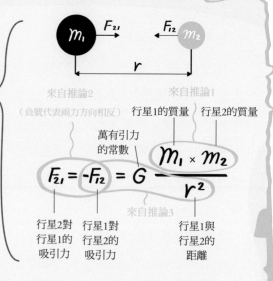

來自推論2
（負號代表兩力方向相反）

萬有引力的常數

行星1的質量　行星2的質量

$$F_{21} = -F_{12} = G\frac{m_1 \times m_2}{r^2}$$

行星2對行星1的吸引力　行星1對行星2的吸引力

來自推論1

來自推論3

行星1與行星2的距離

但是，萬有引力究竟從何而來？牛頓幾乎沒有說明，也不想說明。可能是因為先前「光是微粒」的推論，曾經惹來這麼多麻煩；他不想再做無用的推論和假設，只想把實際可以觀察、實驗或計算的「量」與「數學關係」呈現出來。牛頓把「萬有引力」當成是一種數學描寫，因此他的巨著叫做《自然哲學的「數學原理」》就一點也不令人意外了。

虎克對萬有引力的貢獻

如何？看完萬有引力的誕生過程，需不需要擦點什麼按摩發脹的太陽穴？沒關係。其實很多當時的科學家也看不懂。牛頓的《原理》太難了！而且「只做數學描寫卻不探討來源」的作法也太令人難以接受。倒是虎克，老早聽到《原理》即將出版時，就急急忙忙跳出來邀功，說他才是提出「平方反比定律」的第一人，而且在1679到1680年間，曾經和牛頓通信討論萬有引力的問題，如果沒有他，牛頓的理論根本不會成形！

虎克拿出當年的通信做為證據，牛頓雖然老大不同意，也只好在書中加入補充，說明虎克也是平方反比定律的獨立發現者，好讓《原理》順利出版。不過兩人的爭鬥沒有結束，牛頓白眼翻到後腦勺之際，也故意回擊指控虎克抄襲別人，從此兩人真正結下樑子，老死不相往來；直

原來虎克就是那顆蘋果！

對啊，是我激發出牛頓萬有引力的靈感！

到虎克過世的第二年，牛頓當上皇家學會的主席時，就趁學會搬家的時候，故意拿掉虎克所有的肖像；還機關算盡想抹去虎克的科學功績，讓他澈澈底底從科學的歷史畫面上消失。

唉，看了就討厭，拿掉拿掉。

結果身為堂堂大科學家，虎克連個像樣的肖像都沒留下；而受到牛頓刻意打壓的科學功績，也直到二十世紀才被歷史學者發現，重新受到世人重視。

至於那顆神奇的「蘋果」呢？

根據牛頓友人威廉・史塔克利（William Stukeley）的說法，這是牛頓晚年自己親口說的故事。這要不是牛頓研究煉金術，搞壞了腦袋；就是他心機太重，為了讓人相信自己比虎克早一步研究萬有引力，才虛構蘋果的故事。現在，不少人將牛頓和虎克並列為萬有引力的共同發現者，如果虎克地下有知，應該終於可以安息，對這遲來的正義感到欣慰與無比的光榮吧。

牛頓晚年不再研究物理，而是沉迷於煉金術；可能因為汞中毒，出現怪異的行為舉止。

西元1727年，年老的牛頓在睡夢中死去，享受了光榮的國家葬禮。英國詩人亞歷山大・波普（Alexander Pope）為他寫了以下詩句：

「自然和自然的法則藏身黑暗；上帝說：『讓牛頓出現吧！』於是一切便亮了起來。」

虎克早在1665年出版的著作《微物圖誌》裡，就曾畫出月球表面，談到月球上可能也有類似「地心引力」的重力。這代表虎克早就大膽假設天體也有引力，雖然不到「萬有」，但至少是一大創舉。這時牛頓可是連大學都還沒有畢業呢。

不過在牛頓之後的十八、十九世紀，正是電學、磁學和其他領域蓬勃發展的年代，還有哪些物理學的巨人，會繼續站在牛頓這位巨人的肩膀上，讓藏身黑暗的自然法則變得更加璀璨光亮？物理學從來沒停下前進的腳步，且讓我們拭目以待。

快問快答

1 牛頓說：「『質量』不等於『重量』。」可是我每次用天平測出來的「質量」，都等於用彈簧秤秤出來的「重量」呀！哪有不一樣呢？

那是因為都是在地球上測量的關係！質量是物體的基本性質，不會因為它在不同的地方而改變。而重量是物體受引力而來；引力不同，重量就不同。像在地球上的物體，就是受地心引力影響產生重量。通常在地球上，我們測量到的重量和質量相同，所以大家常分不清楚兩者的差別。

如果你在月球上測量，因為月球引力比較小，用彈簧秤秤出的重量就會只有在地球的六分之一，但實際上同一個物體所含的物「質」的「量」並沒有減少。而天平則是利用砝碼和被測物體比較，兩邊受到的引力影響是一樣的，互相抵消後就可以用來測質量。

2 天才牛頓導出了萬有引力的數學公式，但是要怎麼做，才能證明萬有引力真的存在呢？

在牛頓發表萬有引力公式的111年後，就有實驗證明確實萬有引力存在了！做出實驗的人叫做亨利・卡文迪西（Henry Cavendish），個性比牛頓還怪（請見下冊第16課）。1783年，英國科學家約翰・米歇爾（John Michell）設計出一個扭秤裝置，打算測量物體間的萬有引力；但他沒多久就去世，這扭秤輾轉來到卡文迪西手上。

扭秤裝置主要有兩部分：第一部分是一條細線懸著一根1.8公尺長的木棒，兩端各有一顆同重量的小鉛球；第二部分是在另一根水平棒的兩端，各有一顆同重量的大鉛球。扭秤的實驗構想是，小鉛球受大鉛球的萬有引力吸引，會微微往大鉛球靠近；只要卡文迪西能測出小鉛球連接的木棒轉動多少角度，就能得出大、小鉛球間的萬有引力，若再加上已知的大小鉛球質

量及鉛球間的距離，甚至能利用萬有引力公式，算出萬有引力常數！

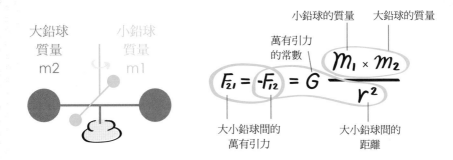

不過這些裝置非常敏感，只要有風、輕微晃動或少許的溫差，實驗就會失敗。所以卡文迪西把它放在隔離的房間，從房間外的控制裝置小心的調整它，還大費周章的用天文望遠鏡讀取刻度。結果發現小鉛球微微移動了4.1毫米，大小鉛球間的萬有引力有0.000000015公克──足以證明萬有引力的確存在！卡文迪西更利用實驗結果，算出萬有引力常數和地球質量。後人把這個重要實驗稱為「卡文迪西實驗」，害羞且能不說話就不說話的卡文迪西應該沒想到，自己最後還是留名千古了！

LIS影音頻道 ▶

【自然系列─物理Ⅰ力學03】（F=ma）天下第一力量大會
在伽利略的斜坡實驗後，笛卡兒提出許多疑問。那麼，力究竟要如何定義？牛頓又是如何提出第二運動定律的？

【自然系列─物理Ⅰ力學04】（反作用力）你打我就是我打你
正當牛頓在統整自己的實驗研究時，他發覺其中似乎還有一個現象沒有獲得適當解釋。他反覆看著碰撞彼此的球，不禁發問，為什麼滾動的球，在撞擊後靜止下來了呢？

附錄 I

本套書與十二年國民基本教育
自然領域課綱學習內容對應表

　　物理是一門研究物質特性與相互作用、運動規律、能量,乃至時間與空間關係的基礎科學,更連結了化學、數學、地球科學,乃至醫學等許多跨領域的科學研究。本套書主要介紹物理理論的演進脈絡,以及眾多科學家不畏艱難、前仆後繼探究真理的研究歷程,特別適合國小高年級及國中階段的孩子閱讀,亦可與學校課程相互配搭,必可獲得前所未有的學習樂趣。

國民小學教育階段高年級(5~6年級)

課綱主題	跨科概念	能力指標編碼及主要內容	對應內容
自然界的組成與特性	物質與能量 (INa)	INa-Ⅲ-1 物質是由微小的粒子所組成,而且粒子不斷的運動。	下冊 - 潛熱與分子運動:P53~54 熱動說:P66
		INa-Ⅲ-2 物質各有不同性質,有些性質會隨溫度而改變。	下冊 - 高溫超導體:P91
		INa-Ⅲ-4 空氣由各種不同氣體所組成,空氣具有熱脹冷縮的性質。氣體無一定的形狀與體積。	下冊 - 水分子三態的運動:P54
		INa-Ⅲ-5 不同種類的能源與不同形態的能量可以相互轉換,但總量不變。	下冊 - 能量守恆:P105~118
		INa-Ⅲ-6 能量可藉由電流傳遞、轉換而後為人類所應用。利用電池等設備可以儲存電能再轉換成其他能量。	下冊 - 萊頓瓶儲存電力:P31 電磁轉動與電動機雛形:P99
		INa-Ⅲ-8 熱由高溫處往低溫處傳播,傳播的方式有傳導、對流和輻射,生活中可運用不同的方法保溫與散熱。	下冊 - 傅立葉熱傳導:P85
	構造與功能 (INb)	INb-Ⅲ-1 物質有不同的構造與功用。	上冊 - 亞里斯多德四元素理論:P24
		INb-Ⅲ-3 物質表面的結構與性質不同,其可產生的摩擦力不同,摩擦力會影響物體運動的情形。	上冊 - 慣性與摩擦力:P71 下冊 - 庫倫的摩擦力研究:P38
		INb-Ⅲ-4 力可藉由簡單機械傳遞。	上冊 - 古代斜面利用:P19~20 阿基米德槓桿原理:P38

課綱主題	跨科概念	能力指標編碼及主要內容	對應內容
	系統與尺度（INc）	INc-Ⅲ-1 生活及探究中常用的測量工具和方法。	上冊 - 計時器：P119~123、126 下冊 - 溫度計與潛熱研究：P46~52 檢流計：P101
		INc-Ⅲ-2 自然界或生活中有趣的最大或最小的事物（量），事物大小宜用適當的單位來表示。	下冊 - 光速：P130
		INc-Ⅲ-3 本量與改變量不同，由兩者的比例可評估變化的程度。	上冊 - 彈簧的伸長量與力：P124~125 下冊 - 溫度變化與熱：P48~51
		INc-Ⅲ-5 力的大小可由物體的形變或運動狀態的改變程度得知。	上冊 - 彈簧的伸長量與力：P124~125
		INc-Ⅲ-6 運用時間與距離可描述物體的速度與速度的變化。	上冊 - 自由落體的時間比較：P62 斜面實驗中距離與時間的關係：P64~69
自然界的現象、規律與作用	改變與穩定（INd）	INd-Ⅲ-2 人類可以控制各種因素來影響物質或自然現象的改變，改變前後的差異可以被觀察，改變的快慢可以被測量與了解。	上冊 - 光線直線前進：P52~53 大氣壓力：P95~98 虎克定律：P125 下冊 - 歐姆定律：P84~88
		INd-Ⅲ-3地球上的物體（含生物和非生物）均會受地球引力的作用，地球對物體的引力就是物體的重量。	上冊 - 地球引力：P50
		INd-Ⅲ-13 施力可使物體的運動速度改變，物體受多個力的作用，仍可能保持平衡靜止不動，物體不接觸也可以有力的作用。	上冊 - 吉爾伯特區分電與磁：P82~83 萬有引力：P146~148
	交互作用（INe）	INe-Ⅲ-3 燃燒是物質與氧劇烈作用的現象，燃燒必須同時具備可燃物、助燃物、並達到燃點等三個要素。	下冊 - 燃燒元素與熱質說：P58
		INe-Ⅲ-7 陽光是由不同色光組成。	上冊 - 彩虹、陽光與三稜鏡研究：P127~136
		INe-Ⅲ-8 光會有折射現象，放大鏡可聚光和成像。	上冊 - 托勒密光線折射：P49 海什木《光學書》：P54 折射定律：P 101~114 陽光折射與色光：P129~130、P134~136 下冊 - 凸透鏡聚光：P132
		INe-Ⅲ-9 地球有磁場，會使指北針指向固定方向。	上冊 - 地磁：P75~76、P78~81
		INe-Ⅲ-10 磁鐵與通電的導線皆可產生磁力，使附近指北針偏轉。改變電流方向或大小，可以調控電磁鐵的磁極方向或磁力大小。	下冊 - 電生磁：P67~80 電流扭秤：P87 電磁轉動與電磁感應：P97~102
自然界的永續發展	科學與生活（INf）	INf-Ⅲ-1 世界與本地不同性別科學家的事蹟與貢獻。	上下兩冊全
		INf-Ⅲ-2 科技在生活中的應用與對環境與人體的影響。	上冊 - 工業革命與熱學研究：P45 大氣壓力應用：P100 下冊 - 微波爐：P66 電學影響：P83、P102 量子現象應用：P147
		INf-Ⅲ-6 生活中的電器可以產生電磁波，具有功能但也可能造成傷害。	下冊 - 生活中的磁場與電磁波：P79~80

課綱主題	跨科概念	能力指標編碼及主要內容	對應內容
物質的組成與特性（A）	物質的形態、性質與分類（Ab）	Ab-IV-1 物質的粒子模型與物質三態。	下冊 - 物質三態與潛熱：P53~54
		Ab-IV-2 溫度會影響物質的狀態。	下冊 - 布萊克熱學實驗：P49~50
		Ab-IV-3 物質的物理性質與化學性質。	下冊 - 導體與絕緣體：P24~25
能量的形態與流動	能量的形態與轉換（Ba）	Ba-IV-1能量有不同形式，例如：動能、熱能、光能、電能、化學能等，而且彼此之間可以轉換。孤立系統的總能量會維持定值。	下冊 - 能量守恆：P105~P118
		Ba-IV-5 力可以作功，作功可以改變物體的能量。	下冊 - 運動、功與熱：P112~114、P118
	溫度與熱量（Bb）	Bb-IV-1 熱具有從高溫處傳到低溫處的趨勢。	下冊 - 傅立葉熱傳導：P85
		Bb-IV-2透過水升高溫度所吸收的熱能定義熱量單位。	下冊 - 卡路里：P64、焦耳提出熱功當量：P113~114
		Bb-IV-3 不同物質受熱後，其溫度的變化可能不同，比熱就是此特性的定量化描述。	下冊 - 布爾哈夫難題：P48 布萊克提出比熱：P51
		Bb-IV-5 熱會改變物質形態，例如：狀態產生變化、體積發生脹縮。	上冊 - 氣象中的高低壓：P99 下冊 - 驗溫器原理：P46
物質系統（E）	自然界的尺度與單位（Ea）	Ea-IV-1 時間、長度、質量等為基本物理量，經由計算可得到密度、體積等衍伸物理量。	上冊 - 質量與重量的區別：P147
		Ea-IV-2 以適當的尺度量測或推估物理量，例如：奈米到光年、毫克到公噸、毫升到立方公尺等。	下冊 - 光年：P129
		Ea-IV-3 測量時可依工具的最小刻度進行估計。	上冊 - 卡文迪西控制誤差：P151 下冊 - 庫倫的誤差：P39
	力與運動（Eb）	Eb-IV-1 力能引發物體的移動或轉動。	上冊 - 亞里斯多德力學理論：P24~26 浮力：P36 力改變物體速度：P69 摩擦力和空氣阻力：p71 彈力：P124~125
		Eb-IV-5 壓力的定義與帕斯卡原理。	上冊 - 大氣壓力：P87~101
		Eb-IV-6 物體在靜止液體中所受浮力，等於排開液體的重量。	上冊 - 阿基米德浮力原理：P35~37
		Eb-IV-7 簡單機械，例如：槓桿、滑輪、輪軸、齒輪、斜面，通常具有省時、省力，或者是改變作用力方向等功能。	上冊 - 古代斜面利用：P19~20 阿基米德槓桿原理：P38
		Eb-IV-8 距離、時間及方向等概念可用來描述物體的運動。	上冊 - 自由落體的時間比較：P62 斜面實驗中的距離與時間關係：P64~69
		Eb-IV-10 物體不受力時，會保持原有的運動狀態。	上冊 - 慣性：P69、P71

課綱主題	跨科概念	能力指標編碼及主要內容	對應內容
		Eb-IV-11 物體做加速度運動時，必受力。以相同的力量作用相同的時間，則質量越小的物體其受力後造成的速度改變越大。	上冊 - 慣性：P69、P71
		Eb-IV-12 物體的質量決定其慣性大小。	上冊 - 萬有引力：P147~148、P150~151
		Eb-IV-13 對於每一作用力都有一個大小相等、方向相反的反作用力。	上冊 - 反作用力：P147
	氣體（Ec）	Ec-IV-1 大氣壓力是因為大氣層中空氣的重量所造成。	上冊 - 托里切利真空與帕斯卡實驗：P91~96
		Ec-IV-2 定溫下，定量氣體在密閉容器內，其壓力與體積的定性關係。	上冊 - 波以耳定律：P124
地球環境（F）	地球與太空（Fb）	Fb-IV-1 太陽系由太陽和行星組成，行星均繞太陽公轉。	上冊 - 日心說演變：P142
物質的反應、平衡與製造（J）	物質反應規律（Ja）	Ja-IV-1 化學反應中的質量守恆定律	上冊 - 質量守恆：P117
自然界的現象與交互作用（K）	波動、光及聲音（Ka）	Ka-IV-6 由針孔成像、影子實驗驗證與說明光的直進性。	上冊 - 針孔成像：P52~53、P55~56
		Ka-IV-7 光速的大小和影響光速的因素。	上冊 - 折射與介質：P110~P112 下冊 - 測定光速：P126、P128 光速在不同介質中的速度：P127 使光變慢與停止：P131
		Ka-IV-8 透過實驗探討光的反射與折射規律。	上冊 - 反射定律：103~104 折射定律：105~114
		Ka-IV-9 生活中有許多運用光學原理的實例或儀器，例如：透鏡、面鏡、眼睛、眼鏡及顯微鏡等。	下冊 - 光學實驗利用透鏡與面鏡：P132
		Ka-IV-10 陽光經過三稜鏡可以分散成各種色光。	上冊 - 彩虹、陽光與三稜鏡研究：P127~136
	萬有引力（Kb）	Kb-IV-1 物體在地球或月球等星體上因為星體的引力作用而具有重量、物體之質量與其重量是不同的物理量。	上冊 - 質量與重量：P147 引力大小影響重量：P150
		Kb-IV-2 帶質量的兩物體之間有重力，例如：萬有引力，此力大小與兩物體各自的質量成正比、與物體間距離的平方成反比。	上冊 - 萬有引力：P147~148
	電磁現象（Kc）	Kc-IV-1 摩擦可以產生靜電，電荷有正負之別。	上冊 - 摩擦生電：P76~77、P84~85 下冊 - 杜費將電區分為兩種：P25~26
		Kc-IV-2 靜止帶電物體之間有靜電力，同號電荷會相斥，異號電荷則會相吸。	下冊 - 靜電的相吸相斥：P22~26
		Kc-IV-3 磁場可以用磁力線表示，磁力線方向即為磁場方向，磁力線越密處磁場越大。	下冊 - 法拉第發明磁力線：P103
		Kc-IV-4 電流會產生磁場，其方向分布可以由安培右手定則求得。	下冊 - 厄斯特發現電流磁效應：P74~75 安培右手定則：P76、P78

課綱主題	跨科概念	能力指標編碼及主要內容	對應內容
		Kc-IV-5載流導線在磁場會受力，並簡介電動機的運作原理。	下冊 - 電動機雛形：P99
		Kc-IV-6環形導線內磁場變化，會產生感應電流。	下冊 - 法拉第發現電磁感應：P101~102
		Kc-IV-7電池連接導體形成通路時，多數導體通過的電流與其兩端電壓差成正比，其比值即為電阻。	下冊 - 歐姆定律：P81~95
		Kc-IV-8電流通過帶有電阻物體時，能量會以發熱的形式逸散。	下冊 - 焦耳解釋電流產熱：P111
科學、科技、社會與人文（M）	科學發展的歷史（Mb）	Mb-IV-2 科學史上重要發現的過程，以及不同性別、背景、族群者於其中的貢獻。	上下兩冊全
	科學在生活中的應用（Mc）	Mc-IV-3生活中對各種材料進行加工與運用。	下冊 - 溫度計演進：P52 超導體利用：P91
		Mc-IV-6用電安全常識，避免觸電和電線走火。	下冊 - 電線短路：P91~92
從原子到宇宙（跨科主題）	自然界的尺度與單位(Ea) 細胞的構造與功能（Da） 生物圈的組成(Fc) 地球與太空(Fb)	INc-IV-1宇宙間事、物的規模可以分為微觀尺度及巨觀尺度。	下冊 - 次原子世界：P139~145 光年：P131
能量與能源（跨科主題）	能量的形式與轉換（Ba） 溫度與熱量（Bb） 生物體內的能量與代謝（Bc） 生態系中能量的流動與轉換（Bd） 科學、技術及社會的互動關係（Ma） 科學在生活中的應用（Mc） 永續發展與資源的利用（Na） 能源的開發與利用（Nc）	INa-IV-1 能量有多種不同的形式。	下冊 - 謝林關於能量的自然哲學：P73 能量守恆：P105~118
		INa-IV-2 能量之間可以轉換，且會維持定值。	下冊 - 能量守恆：P105~118
		INa-IV-3 科學的發現與新能源，及其對生活與社會的影響。	下冊： - 工業革命與熱學研究：P45 電學影響：P83、P102 量子現象應用：P147

名詞索引 　　　　依筆畫、注音順序、字數排列

圖片來源

Wikipedia維基百科提供：

P22、27、28、34、42、47（中）、48（上）、49、53、54、55、59、63、72、77、78、79、80、
81、82、84、85、86、91、97、105、106、109、112、120、122（右上）（右下兩圖）、129、
130、131（左）、133、142、145、146、149

Shutterstock圖庫提供：

P21、23、24、32、33、40、45、47（上）（下）、48（下）、50、61、64、75、89、90、92、96、
98、107、119、122（左上）、131（右）、132、136、143

Wellcome Collection提供：

P70

◯◯ 少年知識家

科學史上最有梗的 20 堂物理課（上）
40部 LIS 影片 讓你秒懂物理

作者｜胡妙芬
總監修｜LIS情境科學教材
繪者｜陳彥伶
責任編輯｜戴淳雅
美術設計｜陳彥伶
行銷企劃｜陳雅婷

發行人｜殷允芃
創辦人兼執行長｜何琦瑜
總經理｜袁慧芬
副總經理｜林彥傑
總監｜林欣靜
版權專員｜何晨瑋、黃微真

出版者｜親子天下股份有限公司
地址｜台北市 104 建國北路一段 96 號 4 樓
電話｜（02）2509-2800　傳真｜（02）2509-2462
網址｜www.parenting.com.tw
讀者服務專線｜（02）2662-0332　週一～週五：09:00~17:30
傳真｜（02）2662-6048　客服信箱｜bill@service.cw.com.tw
法律顧問｜台英國際商務法律事務所、羅明通律師
製版印刷｜中原造像股份有限公司
總經銷｜大和圖書有限公司　電話：（02）8990-2588
出版日期｜2020 年 9 月第一版第一次印行
定價｜400 元
書號｜BKKKC155P
ISBN｜978-957-503-650-8（平裝）

訂購服務
親子天下 Shopping｜shopping.parenting.com.tw
海外 · 大量訂購｜parenting@service.cw.com.tw
書香花園｜台北市建國北路二段 6 巷 11 號　電話（02）2506-1635
劃撥帳號｜50331356　親子天下股份有限公司

國家圖書館出版品預行編目資料

科學史上最有梗的 20 堂物理課：40 部 LIS 影片
讓你秒懂物理 / 胡妙芬作；陳彥伶繪；LIS 情
境科學教材總監修
　-- 第一版. -- 臺北市：親子天下，2020.09
　　上冊；18.5*24.5 公分
　ISBN 978-957-503-650-8(上冊：平裝). --
　ISBN 978-957-503-651-5(下冊：平裝)
　1.物理學 2.通俗作品
330　　　　　　　　　　　　109010462